黒の女王～ブラック・ウィドウ～

欧州妖異譚11

篠原美季

講談社X文庫

目次

イラストレーション／かわい千草《ちぐさ》

黒の女王～ブラック・ウィドウ～

序章

ひんやりとした狭い部屋で、青年はひたすら探し物をしていた。

ここにあるはずで、いまだかつて見つからなかったもの。誰も探そうともしなかったため、放っておかれたまま月日が経《た》ってしまった過去の遺物である。

だが、絶対にあるはずなのだ。

この場所のどこかに——。

彼には、確信があった。

隠し部屋となっていたこの地下室の入り口を見つけた時から、彼の心は躍《おど》り出した。大切なものを隠すのに、これほどうってつけの場所はない。それに、そもそも、こういった地下世界は、彼らが信奉するものを祀《まつ》るための場所だ。

闇《やみ》を照らす光こそ、我らが主《しゅ》——。

だから、探し物はここにある。

絶対に。

今や伝説と化している「ブラック・ウィドウ」が見つかるのも時間の問題だと、彼は信じていた。

しかも、ここは、それらしいもので溢《あふ》れ返っている。

南京錠《なんきんじょう》のかかった箱。

古めかしい机や書棚。

それらを調べるため、小さな鍵《かぎ》は叩《たた》き壊《こわ》し、本や書類は乱雑に検分する。

そこにある家具類をすべて調べ終えた青年は、次に、注意深く堅牢《けんろう》な石壁を指先で探り始めた。お宝の隠し場所として、壁に穿《うが》った穴というケースもありうるからだ。

案の定、壁を伝う指先が、ある箇所で止まった。

そこに、傍目《はため》にはわからないような窪《くぼ》みがあって、手をかけて力を入れると、壁の一部が手前に開かれる仕組みになっていた。

高鳴る気持ちを抑えながら中を覗《のぞ》き込《こ》む。

すると、壁に穿たれた穴には、一冊の古びた聖書が置いてあった。しかも、そのまわりには一枚の帯が巻かれていて、帯の表面には、彼が見たこともないような不可思議な記号が余すところなく描かれている。

記号なのか、文字なのか。

（封印……？）

そんなふうにも思うが、思ったのは一瞬で、彼は躊躇《ちゅうちょ》なく巡らされた帯を破り取ると、パラパラとページを乱暴に繰っていく。

だが、何もない。

彼が望んだようなものは、いっさい見当たらない。

最後まで見てみたが、聖書のどこにも何も挟まれていなかった。

それは、一見、ただの聖書としか思えない。

だが、諦《あきら》めきれないらしい青年は、再度、丁寧に聖書を検分し始めた。

表紙の厚みを見て、背表紙を確認し、ひっくり返したところで、裏表紙をとっくりと調べる。

すると、思ったとおり、背表紙の内側に不自然な厚みがあり、そこに、厚紙のようなものが隠されているのがわかった。しかも、よく見れば、裏表紙の内側には、四隅に、帯にあったのと同じような記号が描かれているではないか。

青年は、ポケットからナイフを取り出すと、刃先で器用に内側に張られた紙をはがしていく。その際、めくれた服の袖口《そでぐち》から、手首に彫《ほ》られた入れ墨が見えた。間延びしたアルファベットの「P」の下部に「S」が蛇《へび》のように絡《から》みついている図像である。

裏表紙の中には、四角い紙片が入っていた。

封筒だ。

封蠟《ふうろう》のある古びた封書。

しかも、差出人の住所から宛先《あてさき》まで、すべてがアルファベットの外国郵便である。

宛名《あてな》は、英国海軍士官の「F・ブライアン」、差出人は、「エリュ・コーエン」となっていて、さらに差出人の名前の下には、「P」の下部を長く伸ばし、その伸ばしたところに蛇に似せた「S」を絡ませたような印があった。青年の手首に彫られた入れ墨とほぼ同じ模様《デザイン》である。

「ああ――」

青年の口から、感嘆の溜《た》め息《いき》が漏《も》れる。

「ついに、見つけた。愛おしき『ブラック・ウィドウ』」

感慨深げに声を絞り出した青年は、その封筒を取り上げながら褐色《かっしょく》の目を輝かせた。

高く掲《かか》げ、部屋を仄暗《ほのぐら》く照らす蛍光灯に翳《かざ》して、とっくりと眺める。

「これで、ついに我々も、大いなる闇の力を手にすることができるだろう――」

その顔に浮かぶ恍惚《こうこつ》とした表情。

その表情のまま、開封する。

と、その時。

ピシッ。

封が開けられた音か、はたまた空間にひびでも入ったのか。

どちらにしろ、本来なら聞こえるはずのない音が、はっきりと聞こえた。

「──なんだ?」

思ううちにも、彼の目に、封筒の内側に描かれた奇妙な記号のようなものの一部が飛び込んでくる。おそらく、封筒を一枚の紙に開いた際、それらの記号は裏面全体に亘《わた》って描かれ、一つの大きな図形を為しているはずだ。

しかも、記号の一つ一つは、同じ記号でも、帯にあったような文字に近いものとは違って、もっと幼い感じのする、あたかも子どもが書いた意味不明ないたずら書きのようなものだった。

拙《つたな》さゆえに、どこか空恐ろしい。

しかも、彼は、それと同じような記号を、確かにどこかで見たことがあった。

だが、彼は、それの正体がなんであるかを、知ることはなかった。

永遠に──。

なぜなら、その時、封筒からシュッと、蛇のような黒い影が飛び出してきて、彼に襲いかかったからだ。

「ギャッ!!」

驚いた彼が避ける間もなく、突如、あたりにオレンジ色の閃光《せんこう》が広がって、その場が炎の海と化す。一瞬にして燃え広がった火は、勢いを増しながら階上へと駆け上がり、市民に親しまれている建物を焼き尽くした。

数日後。

現場検証も終わって閑散とした焼け跡に、一人の男が立った。

——いや。

それが、本当に人間であるかどうかは、わからない。

なんといっても、ここは、一人の死者を出したばかりの火災現場だ。人によっては、それを、ここで命を落とした青年の幽霊と見るかもしれない。

それくらい、輪郭のはっきりしない姿である。

黄昏《たそがれ》の仄暗さの中、地下室と思《おぼ》しき窪みの中に影となって佇《たたず》むそれは、焼け焦げた遺物の中から、何かを拾いあげた。

封筒だ。

物が炭化するほど燃やし尽くされた焼け跡の中で、その封筒だけが、どうしてか、ほぼ原形を留《とど》めたまま残されていたらしい。

これは、一種の奇跡と言えよう。

でなければ、魔の仕業《しわざ》か。

正体のわからないそれは、封筒を手にすると、その場でスッと踵《きびす》を返した。その動きに合わせ、背後で蛇を思わせる細長いものが翻《ひるがえ》る。

と――。

次の瞬間。

それは、人にあるまじき素早さで、黄昏に溶け込むように消え去った。

どうやら、人ではなかったらしい。

時刻は、逢魔《おうま》が時《とき》。

それは、何に出逢《であ》ってもおかしくない時間帯に起きた、一瞬の不可思議な出来事であった。

第一章　道に立つ者

1

日曜日。

その日も、朝から真夏日となった横浜の空には、海の上にわき立った入道雲が天高く広がりを見せていた。

開港の地、「ヨコハマ」。

その響きは、百五十年の月日が経《た》った今でも根強くこの地に残り、近代的なビルが建ち並ぶ街中のあちこちに、その面影を見ることができた。それもこれも、港町「ヨコハマ」を愛してやまない「浜っ子」たちが、過去と現在を結びつけ、さらに未来に向けて異国情緒漂う独特な街造りを行っているからだろう。

中でも特に、居留地にあった洋風の建物を移築して改装し一般公開している山手《やまて》本通《ほんどお》りなどは、その最たるものと言えよう。

平日でも観光客の姿が絶えないこの界隈《かいわい》では、夏休み後半を迎えた今、いつも以上の人出で賑《にぎ》わっていた。

そんな中、山手本通りに面した古い教会で、その日行われる慈善バザーの準備を手伝っていた伊東佑介《いとうゆうすけ》は、寄付で集まった品々に値段票を貼《は》りつけながら、一緒にボランティアをやっている近所の主婦たちの会話を聞くともなしに聞く。

「それにしても、元どおりきれいになって、よかったこと」

「そうね。一時は、どうなるかと思ったけど」

「さすが、伝統ある教会だけはあって、目標額に達するまで数年を要したけど、火事のあと、この辺の人たちだけじゃなく、全国の信徒さんや、元町《もとまち》育ちの人たちからたくさんの再建資金が寄せられたって話よ」

「すごいわねえ」

「本当よ。そのおかげで、今年になってようやく、こうして昔どおりの状態になったのだから……」

そこで、タイミングを合わせたかのようにいっせいに手を止め、感慨深げに堂内を見渡した主婦たちに向かい、近くで作業をしていた別のボランティアの青年が話しかけた。

「だけど、火事の原因って、いまだにわかっていないんですよね？」

「――ええ、そうみたいね」

　ふたたび、作業に戻りながら、主婦たちが答える。

「消防団の人から聞いた話だと、火元は地下にあった部屋だそうだけど、そこには火事の原因になるようなものはなかったって」

「だけど、亡くなった信徒さんの遺体は、その地下室で見つかったんでしょう？」

「そうよ。それで、関係者の間では、その方が放火したんじゃないかって話も出ていたみたいで……」

「やだ、怖い」

「それが本当なら、罰当たりな話よね」

「そうなんだけど、ただ、調べてみても、彼が火をつけた痕跡《こんせき》はなく、結局、原因はわからないまま、こうして数年が過ぎてしまったのね」

「……まあ、教会側にしても、信徒さんの仕業とは思いたくないでしょうし」

　すると、茶色く染めた髪をきれいに結い上げた女性が、「でも」と声を低くする。

　ちなみに、ただ「主婦」とはいっても、場所によってさまざまであるようで、山手から元町あたりに住まう主婦たちは、過度にけばけばしくはなく、持ち物をブランド品で固めるでもない、でも、それなりに見目麗しく整えた根っからのお嬢様である「主婦」が多い。

「そもそも、教会の地下に、そんな部屋があったって、知っていました？」

「いいえ」

「私も、この教会には小さい頃から通っていたけど、地下室のことは、火事のあとで初めて知りました」

「そうよねえ」

「なんのための地下室だったのかしら？」

「さあ」

「今は、そこもきれいにして倉庫として使っているんでしょう？」

「はい。——ただ」

応じたボランティアの男が、意味ありげに間を置いた。どうやら、彼は、怪しげな話で人の気を惹《ひ》くのが大好きらしい。

案の定、一人の主婦が興味を示して先を促《うなが》す。

「ただ、なに？」

「いや。使えるようにしたのはいいんですけど、その倉庫、『出る』って、もっぱらの評判なんですよ」

「……『出る』？」

とっさにわからなかったらしい主婦が訊《き》き返すと、男は、両手を幽霊のように垂らしてさらに詳しく説明する。

「『出る』と言ったら、コレですよ。幽霊」

「幽霊!?」

「そう。例の火事で亡くなったという信徒さんの幽霊が、出るんだそうで」

「そうなの？」

「若い信徒の中にも、倉庫の中から変な音がするのを聞いた奴《やつ》がいたりして、実は、密《ひそ》かに心霊スポットになっていますよ」

「ちょっと、怖いじゃない」

確かに、ぞっとさせられる話である。

それまで、作業しながらなんとなく話に耳を傾けていた伊東佑介も、さすがに興味を惹かれ、手を止めて話に聞き入った。

すると、茶色く染めた髪をきれいに結い上げた女性が、「そういえば」と話に加わる。

「それとは違うけど、私も、似たようなことを聞いたことあるわ」

「倉庫の幽霊？」

「いえ、もっとずっと前のことだけど、火事のすぐあとで、焼け跡にうずくまる影のようなものを見たって人の話を聞いたことがあって、それが、たぶん、亡くなった信徒さんの幽霊だったんじゃないかって話になったの」

「うそ。真剣にやめて。もう地下の倉庫に行けないじゃない！」

（確かに――）

佑介が、密かに内心で同意した時だ。

「伊東くん」

ふいに名前を呼ばれたので、ついビクッと身体《からだ》を揺らしてしまう。幽霊の話など聞いていたものだから、いつの間にか緊張して息を詰めていたようだ。夏にはぴったりの話であるとはいえ、やはり聞いて後悔するのは毎回同じだ。

というのも、彼は、幽霊などの怖い話があまり好きではない。

本当に怖くなってしまって、トイレに行ったり、お風呂《ふろ》で髪を洗ったりするのが億劫《おっくう》になってしまうからだ。

しまいには、本当に、柳の枝が幽霊のように思えてきたりして――。

だけど、そうなるとわかっていても、ついつい聞き耳を立ててしまうのが、俗に言う「怪談」というものである。

過剰に驚いた佑介を見て、教会関係者の男性が眉《まゆ》をあげて尋ねた。

「どうした、伊東くん、幽霊でも見たような顔をして」

「あ、いえ」

すると、彼の背後でクスクスと笑った主婦たちが、助け船を出してくれる。

「幽霊は見ていないけど、幽霊の話は聞いていたんですよ」

「幽霊？」

そこで、今度は少々困り顔になった男性が、「言っておくけど」と若干《じゃっかん》今までより厳しい口調で釘《くぎ》を刺した。

「教会に幽霊なんて出ないから、変な噂《うわさ》話《ばなし》は控えてくださいね」

「そうでした、すみません」

主婦たちは、素直に謝って、それぞれの用事を済ませるために散っていく。一緒に話していたボランティアの男も、それに交じってそそくさとその場を退散したようだ。

一人残された佑介に向かい、教会関係者の男性が、「で、悪いんだけど、伊東くん」と最初の用件に戻って、彼に使いを頼み込む。

「地下の倉庫に、前回のバザーで使ったビニール袋があるはずなんだ。それを、探して取ってきてほしいんだけど」

「倉庫に……ですか？」

なんとも、間の悪いことである。

たった今聞いたばかりの幽霊の話が頭をよぎり、佑介は不安そうに繰り返したが、相手は意に介した様子もなく「うん」と頷《うなず》いて続けた。

「商品を入れて渡す白いビニール袋ね。――これ、倉庫の鍵《かぎ》だから。頼んだよ」

そう言って、佑介にタグのついたありきたりな鍵を渡してしまうと、彼は、忙しそうにその場を離れていった。

男性の後ろ姿を見送った佑介は、しばらくの間、途方に暮れたようにその場にたたずんでいた。

幽霊が出るという噂のある地下の倉庫。

そこに、一人で探し物をしに行くというのは、怖がりの彼にとっては、なかなかのミッションであると言えよう。

もし、そこで幽霊に会ってしまったら、どうしたらいいのだろう。

お祓《はら》い？

十字架？

わからずに、手の中の鍵を頼りなげに見おろした彼であったが、すでに大学生になっている身でありながら、幽霊が怖いからという理由で仕事を放棄《ほうき》するわけにもいかないと思い、かなり重い足取りで歩き出す。

その際、効果のほどは知らないが、気持ちを静めるために、飾りとして置いてあった十字架を拝借する。

なんの幽霊かは知らないが、教会に出るくらいなら、十字架が効くはずだ。

そう思ったのだが、少し歩くうち、そもそも、教会には十字架が腐るほどあり、その十字架が効かないから教会に出没できるのだという事実に気づいてしまった。

だとしたら、幽霊には、何が効くのだろう。

かなり不安であったが、ひとまず、入り口の鍵を開け、地下に向かう階段の電気をつけて階下に降りる。

降りたところにも電気のスイッチがあり、それを灯《とも》すと、蛍光灯が瞬《またた》いて、すぐに部屋全体が白々とした明るさに包まれた。ただ、闇《やみ》が払拭《ふっしょく》される一瞬、足下を蛇《へび》のような影が過《よぎ》ったが、佑介は気づかずに室内に足を踏み入れた。

無機質ではあるが、きれいな部屋だ。

蛍光灯の明かりの下、棚に段ボールやファイルに綴《と》じられた資料などが並び、そのすべてにラベルが貼られている。

あまりに整然としすぎていて、とてもではないが、幽霊などが出る余地はなさそうに思えた。おそらく、あの怪談は、ここに来たことのない人間が作り出した、まったくのデマなのだろう。

死者の出た場所に、幽霊譚《たん》はつきものだ。

そこで、彼は階段をおりてすぐの棚に十字架を置き、並んだ段ボールのラベルを見ながら、白いビニール袋が入っていそうなものに見当をつける。

やがて、見つけ出したのは、ラベルに「バザー③」と太字ペンで書かれた段ボールだった。おそらく、バザー関係のものが入っていて、そのうちの①と②は、すでに階上に運ばれたのだろう。

踏み台に乗って中を確認すると、確かに、他の小物に交じって、白いビニール袋が大量に入っていた。

と、その時。

段ボールの中を覗《のぞ》き込《こ》む彼の脇《わき》を、蛇のような黒い影がシュルッと通り過ぎた。目の端でとらえた佑介は、ドキッとして顔をあげ、あたりを見回す。

だが、特にこれといって、変わったものはない。

相変わらず、白々とした蛍光灯に照らされ、ファイルや段ボールが整然と並ぶばかりだ。

（蛇みたいなものがいたように思えたけど……）

気のせいだと自分を叱咤《しった》し、佑介は、「バザー③」と書かれた段ボールを抱えて踏み台をおりた。

すると。

バサッと。

段ボールをおろした拍子に、何かが一緒に転がり落ちた。

敏感になっているため、ドキッと身震いした彼であったが、よく見れば、それはどうやら古い封筒のようで、段ボールの下敷きになっていたか、でなければ、段ボールと段ボールの隙間《すきま》に挟まっていたのが、引きずられて落ちたのだろう。

誰が忘れていったものなのか。

抱えていた段ボールをおろして、封筒を拾いあげた佑介は、ひっくり返して表面を見たところで、驚きのあまり硬直する。

「これって、まさか『ブラック・ウィドウ』――!?」


三十分後。

「あ、伊東くん」

先ほど、用事を頼んだ教会関係者が、佑介を見つけて声をかけてくる。

「頼んだもの、見つかった?」

「はい、見つかりました。もう、売り場のほうに渡してあります」

「そう。ありがとう。助かったよ」

「――ああ、これ、鍵」

言いながら、鍵を手渡した佑介の指先は、緊張のためか、妙に冷たくなっていた。

顔色も、心なしか青白い。

だが、もうすぐ始まるバザーのことで頭がいっぱいの相手は、そんな佑介の微妙な変化など気付くこともなく、「じゃあ、このあともよろしく」と言って、その場を離れていった。

そのあとも、佑介はバザーの手伝いを続けたが、その様子はどこか上の空で、まったく覇気《はき》の感じられないものとなっていた。

2

通りに面した窓からは、古色蒼然《こしょくそうぜん》とした石畳《いしだたみ》が見おろせた。

石造りの低い建物が並ぶ街並みは、全体的にどこか統制がとれていて、とても美的感覚に優れている。

明らかに、日本の風景ではない。

それは、どちらかといえば、ヨーロッパの古い都市を思わせるものだった。

午後の淡い陽《ひ》が射《さ》し込《こ》む部屋の中、窓辺に立つ青年の背後で扉が開き、別の男が入ってきて告げた。

「失礼します、ルイ＝フィリップ様」

フランス語だ。

答えも、フランス語で返る。

「なんだ？」

「今しがた、報告がありまして、日本で、『ブラック・ウィドウ』と思われるものが出現したそうです」

「──『ブラック・ウィドウ』が日本に⁉」

驚いたように振り返った青年が、黄緑色の瞳《ひとみ》を光らせて応じる。

「まさか、アレが、生き残っていたということか?」

「いいえ。まだ、その確認はできておりませんが、『ブラック・ウィドウ』と思わしきものがネット・オークションに載ったのは確かです。私も、この目で確認しました」

「――ネット・オークションだと⁉」

驚きを通り越し、怒りにも似た表情で繰り返した青年が、信じられないことでも聞いたかのように確認する。

「よりにもよって、『ブラック・ウィドウ』を、ネット・オークションに出した人間がいるのか?」

「そのようです」

「それは、どこのバカだ?」

「まだわかっておりません。ただ、日本のマーケットであるのは間違いなく、今現在、出品者の特定をしているところです」

「――急がせろ」

短く命令した男が、付け足した。

「それで、その大バカ野郎がヨコハマの人間であるのがわかったら、ただちに人をやって対処させろ。――いいか。もし、それが、正真正銘、我々が探し求めていた『エリュ・

コーエン』の遺産、本物の『ブラック・ウィドウ』であったなら、絶対に、他の人間に奪われてはならない。『ブラック・ウィドウ』が導く大いなる闇の力は、我らが手にするべきものなのだから」

「――御意《ぎょい》」

慇懃《いんぎん》に頷いた男が、来た時同様、足音をたてずに部屋を出ていった。

一人になったところでふたたび窓の外に目をやった青年が、陽射しが降り注ぐ通りを見おろしながら、欲望のたぎる声で呟《つぶや》く。

「ヨコハマの『ブラック・ウィドウ』――」

それは、彼らが年月をかけて調べあげ、ようやく百五十年前の開港時に横浜に送られたという事実を突き止めた「エリュ・コーエン」の遺産の一つであった。

そこで、彼らは、日本語が堪能《たんのう》な仲間の一人を彼の地に送り、遺産の回収に努めさせたのであったが、結果は悲惨なものとなる。

なにが悲惨かといって、その時に起きた火事で、「エリュ・コーエン」の遺産も一緒に焼失したと考えられたからだ。彼らにとって、仲間の死などどうでもよく、すべては「ブラック・ウィドウ」が手に入るかどうかにかかっていた。

だから、その報がもたらされた時の衝撃の大きさと言ったら、他になく、すべての希望が潰《つい》えた瞬間だった。

底しれぬ失望感――。

だが、ここに来て、焼失したと思われていた「ブラック・ウィドウ」がふたたび現れたと言う。

しかも、因縁の横浜で――。

青年の声に力が入る。

「『ブラック・ウィドウ』が導く闇の力さえ手に入れば、もう、あんな奴らの顔色を窺《うかが》う必要もなくなる。そして、いずれは、この私が、世界を動かす最高権力を手に入れることになるだろう。そのためにも、『ブラック・ウィドウ』が現れた今、今度こそ、どんな手を使ってでも、我がものとしてみせる。――絶対に」

3

八月末。

蟬時雨《せみしぐれ》が降り注《そそ》ぐ晩夏の横浜を、二人の青年が仲睦《なかむつ》まじげに歩いている。

そのうちの一人、黒絹のような髪に漆黒《しっこく》の瞳をした青年は、どこからどう見ても日本人だとわかる顔立ちをしていて、こうして歩いていても、周囲に溶け込んでまったく違和感がない。

とはいえ、「ユウリ・フォーダム」という名前からもわかるとおり、彼は生粋《きっすい》の日本人ではなく、日本人の母とイギリス子爵の父を持つハーフで、ふだんはイギリスを拠点に生活し、ロンドン大学に通う身である。

それに対し、彼と並んで歩くいとも高雅な青年のほうは、異国情緒溢《あふ》れるこの地にあっても、かなり目を惹く存在だ。

特に、すれ違う女性は、一度は必ず凝視する。あからさまなものだったり、こっそりと上目遣いにであったり、ウィンドウに映る姿を盗み見たりと、その方法はさまざまであるが、とにかく、どんなに控えめで良識ある女性でも、その姿を目に焼きつけておかずにはいられないくらい、完璧《かんぺき》に整った容姿をしている。

白く輝く金の髪。

南の海のように澄んだ水色の瞳。

まさに、大天使が降臨したかと見紛《みまが》うほどの神々しさを持つ青年の名前は、シモン・ド・ベルジュ。容姿だけでなく、その出自も、フランス貴族の末裔《まつえい》で、ヨーロッパに並ぶものはないとされる事業家の直系長子という、これ以上は望むべくもないというほど恵まれたものであった。

現在、パリ大学の学生である彼は、夏休みを利用して、パブリックスクール時代からの親友であるユウリとともに、ユウリの母方の実家がある日本に遊びに来ている。

さらに、先ほどまでは、彼らのほかにもう一人、パブリックスクール時代の先輩であるキース・ダルトンという青年がいたのだが、彼は、午前中の便で一足先にロンドンに戻った。

所属する寮《ハウス》が生活の基盤となるパブリックスクールでは、横の繋《つな》がりより、縦の繋がりのほうが強力で、同じ寮の先輩というのは、何年経っても先輩として尊重される存在であった。

もっとも、ダルトンとの付き合いは、彼の卒業後に深くなったと言っていい。

在学中から極めて優秀だった彼は、ケンブリッジ大学に進むや否や、かねてから尊敬していた教授に取り入り、今では、まだ学生の身でありながら、ちゃっかり秘書に近いポジ

ションを獲得し、コレッジ内でもかなり幅を利かせている。

その教授というのが、他でもない、ユウリの父親であるレイモンド・フォーダム博士なのだ。

四十代という若さでありながら、世界のオピニオン・リーダーとして、各方面からその発言を注目されているレイモンドは、夏休み中も、あちこちの講演会やら討論会などに呼ばれ、息つく暇もないほどの忙しさであった。

特に、日本では、日本語の堪能なレイモンドに対し、専門的な会合とは別に、子供向けの科学イベントから一般公開される特別講義まで、ありとあらゆるイベントの依頼が舞い込むから大変だった。

しかも、レイモンド自身、とても精力的で、人材育成にも熱心に取り組んでいるものだから、その手のイベントであってもめったに断らないのだ。

ダルトンは、そんなレイモンドを補佐するという名目で「秘書」として来日したはずであったが、紆余《うよ》曲折《きょくせつ》の末、ほとんどの時間を観光に費やして帰った。そして、彼の観光案内をしたのが、ユウリとシモンというわけだ。

もちろん、シモンまで付き合う必要はまったくなかったのだが、「快楽主義者《エピキュリアン》」として名高いダルトンとユウリを二人きりにするのは、少々心許《こころもと》なく、また、噂だけでなく、実際のダルトンがそれなりに魅力的な男であることから、シモンとて、一緒にいて退屈するわけでもなかったため、ふつうに三人での観光を楽しんだ。

とはいえ、羽田で飛行機に乗り込む元上級生を見送り、こうして二人だけの時間に立ち戻ってみると、なんだかんだ、それまでとは違い、彼らの心は軽やかだった。

「やっぱり、ラーメンは美味《おい》しいね」

中華街でお昼を食べ終わったところで、シモンが店を出ながらユウリに言った。この一週間、ダルトンと三人で、すでに何軒か、ラーメン屋にも行っていたのだが、どうやらこの食べ物が持つ魅力は、ヨーロッパの青年たちをも虜《とりこ》にしたようである。

「確かに。日本人は、もともとラーメンが大好きだけど、ダルトンもずいぶんと気に入っていたようだし、案外、ヨーロッパの人の口にも合うのかな」

ユウリの言葉に、シモンが頷く。

「ニューヨークでは、すでにラーメン激戦区ができ始めているようだし、そのうち、パリやロンドンにも、ラーメン店がたくさん進出してくるだろう。うちも、早いところ、投資先を見つけて、各国にフランチャイズ展開できるようにするかな」

「うちも」というのは、当然、「ベルジュ・グループ」を指している。さすが、次代の「ベルジュ・グループ」を牽引《けんいん》する人間であれば、ラーメン一杯を食べる間にも、ヨーロッパ経済のことが頭をよぎるらしい。

もっとも、今しがた彼らが食べたのはラーメンではなく中華そばで、点心の類《たぐ》いもたらふく食べていた。

すると、何か腑《ふ》に落ちないことを思い出したかのように、シモンが「そういえば」と軽く首を傾《かし》げて訊いた。

「食べながら思っていたのだけど、メニューの表記に『中華そば』と書いてあるのは、何か意味があってのことなのかな？」

「え？」

一瞬、何を問われているのかわからなかったユウリが訊き返すと、シモンが、質問の意図を明確にしてくれる。

「つまり、『ラーメン』と『中華そば』には、何か明白な違いがあるのかってことを訊きたいのだけど」

「……ああ。『中華そば』ね」

今まで、考えたこともなかったユウリが、そこで「う〜ん」と考え込む。

確かに、中華の店では、よく、「ラーメン」のことを「中華そば」と表記する。だが、それがなぜなのか、ユウリのほうが教えてほしいくらいだった。

「どうかな。たぶん、同じものだと思うけど」

最初はそう答えたユウリだが、その後もダラダラと言い募る。

「でも、そういえば、よく『昔ながらの中華麺《めん》』のような言われ方をするのは、シンプルなラーメンだったりするから、もしかしたら、『中華そば』の進化形が『ラーメン』なのかもしれない……、な～んて」

なんとも曖昧《あいまい》な言い様に、シモンの澄んだ水色の瞳が疑わしげに細められる。明らかに信用していない顔つきであったが、結局、そのあと、シモンが真実を追究することはなかった。

というのも、シモンが何か言いかけた時、勢いよく角を曲がってきた人物とユウリが出会いがしらに衝突し、ユウリだけが転倒するという惨事が起きたからだ。

「うわ！」

「わ！」

「ユウリ⁉」

路上に三人三様の声が響き渡り、すぐにシモンがユウリに駆け寄って助け起こす。

「大丈夫かい、ユウリ？」

「……うん、なんとか」

ぶつかってもびくともしなかった相手の男も、心配そうにユウリのことを覗き込んでくる。

「悪い。急いでいたもんで、つい。——ケガはないか？」

「はい」

念のため軽く手足を動かして状態を確認したユウリが、「大丈夫そうです」と答えながら相手を見あげた。

そこに、背広姿の美丈夫《びじょうふ》がいる。

大柄な体型は、ユウリの倍はありそうに見えるが、それは、あくまでもぶつかられた時のイメージを引きずっているに過ぎず、実際はといえば、日本人にしてはしっかりとした体格をしている成人男性というだけのことだった。

「本当に?」

再度確認され、ユウリが笑顔になって答える。

「大丈夫です。これでも、けっこう頑丈《がんじょう》にできているので」

「それは、よかった」

本気で安堵《あんど》した相手は、そこで、気がかりそうに視線を前方に向けると、もうユウリたちのことには興味を失った様子で続けた。

「それなら、悪いけど、俺はこれで」

言うなり、またぞろダッシュで走り去る。その勢いと言ったら、まさに鉄砲玉のようである。

忙《せわ》しない男を見送ったシモンが、小さく溜《た》め息《いき》をついて感想を述べた。

「懲りない男だな……」

それに対し、人の好《よ》いユウリがフォローに回る。

「きっと、のっぴきならない事情があるんだよ。悪い人には見えなかったし」

「それにしたって、だ」

大のおとなが公道を全速力で突っ走るというのは、いかがなものかとシモンは思う。なんのために、小さい頃、「廊下は走るな」と注意を受けては、きついお仕置きをされたりしたのか。

もちろん、シモンは、廊下を走ったこともなければ、お仕置きを受けたこともなかったが、それは幼くして、きちんと良識をわきまえていたからだ。

咎《とが》める口調で応じたシモンが、「それで、ユウリ」と親友のことをとっくりと眺める。

「本当に、どこもケガはしてない？」

「うん。だから、シモンも、もう気にしないで」

「……了解《ダコール》」

溜め息とともに応じたシモンが、ユウリの服の裾《すそ》についた泥を払ってから促《うなが》す。

「じゃあ、行こうか」

「そうだね。——あ、シモン、こっちから行ったほうが近い」

ユウリがシモンの腕を引き、二人は、土産物《みやげもの》を探しがてら、元町《もとまち》方面に向かって歩いていった。

4

一方。

ユウリとぶつかった男は、ふたたび駆け出して道路を横断し、彼が尾行していた人物を見つけ出そうとしたが、うまくいかなかった。相手の様子からして、ぶつかる前から尾行には気づいていたようだから、あの予期せぬ出来事《アクシデント》は、逃げる機会を与えてしまったようなものだろう。

それでも、念のため、人通りの多い中華街に足を踏み入れ、しばらくその辺をうろついてみたが、無駄だった。ひとたび門をくぐれば、中華街は入り組んだ小路《こうじ》も多く、人を捜そうにもそう簡単に見つかるものではない。

土産物屋の軒先にかかる色とりどりのチャイナ・ドレスやパンダのぬいぐるみなどの前を通り過ぎ、手相占いの看板の下を足早に通り抜けた彼は、ついに諦《あきら》めて中華街の外れにある飲茶《ヤムチャ》をメインにした喫茶店へと戻ってきた。

そこで、優雅にお茶を飲みながら読書をしていた男の前にスルッと座り込み、ここ最近で一番の失態を手短に報告する。

その際、つい渋面になるのは否めない。

「悪い。伊東佑介を見失った」

嫌味の一つも言われるかと思いきや、報告を聞いた相方は、文庫本から顔もあげずに涼しげに頷いた。

「そうでしょうね。ここから見えていましたから」

「見えていた？」

男が、顔を動かして外を見る。

確かに、この位置からだと、さっき衝突した場所がよく見渡せた。

しかし、「だったら」と男は思う。

（のんびり、茶ァなんて飲んでないで、自分でもどうにかしろよ！）

声を大にして言いたかったが、男はグッと我慢し、代わりにお伺《うかが》いを立てる。

「やっぱ、まずいよな？」

「ええ。かなりまずいです」

そこで、ようやく端整な顔をあげた相方が、文庫本を広げたまま続けた。

「なんと言っても、伊東佑介は、例の『ブラック・ウィドウ』をネット・オークションに出した張本人ですから。――もちろん、当たり前ですが、オークション自体は、値がありすぎて、すぐに不成立となりましたが、そうなったらそうなったで、今度は、僕らと同じように、『ブラック・ウィドウ』が世に流れ出たのを知り、どんな人物が伊東佑介に接触してくるか、それが知りたかったというのに、まさか、彼を見失うなんて」

言いながら、涼しげな目を細めて男を横目で流し見る。

「重々承知してくださっているとは思いますが、これを機に、できれば、この問題を根源から断ち切りたいと思っている僕としては、こんな初歩的なミスだけは、絶対に避けて欲しかったんですけどねえ……。まったく、何年、この仕事をしているんだか」

結局、口をついて出た相方の嫌味に、男は小さく舌打ちする。

「しかたないだろう。本当に、彼がふいに現れたんだ」

「彼」とは、もちろん、先ほどぶつかってしまった青年のことを言っている。

それに対し、彼の相方が口元に謎《なぞ》めいた微笑を浮かべて「……ふいに、ね」と呟いた。

日本的で端整な顔立ちをした彼がそういう表情を浮かべると、美しい仏像に意味深長に微笑《ほほえ》みかけられたような気がして、ちょっとコワイものがあるのだが、本人にその自覚はないだろう。俗にいう「アルカイック・スマイル」だが、その手の微笑みを浮かべた仏像というのは、いささか不気味に見える時がある。

その表情のまま、相方が言う。

「それって、貴方にしては珍しく、あの青年の気配を察知できなかったということですよね？」

「……まあ、そうだな」

尾行していた男は、職業柄というのもあって、人の気配や動きに対してとても敏感だった。それは、霊感めいた感覚というよりは、動物的勘に近いものがある。

そういう意味で、あの予期せぬ衝突は、生存競争の激しい自然界における生命の危機に通じるものがあるだろう。

男が、真剣に考え込む。

この手の直感は、年齢があがるにつれ落ちていく気がするので、これも加齢現象の一種なのかもしれない。だが、だとしたら、この先、こういうことが何度も起きるのではないかと思い、彼は不安になってくる。

（もしや、引退へのカウントダウンか？）

三十歳前で「引退《リタイア》」もないものだが、そんな彼の心の内を読んだかのように、目の前の相方がつまらなそうに慰めてくれる。

「心配せずとも、貴方の能力が落ちたわけではないと思いますよ。むしろ、気配の感じられなかった原因は、ぶつかった青年のほうにあったのではないかと」

男が、意外そうに相方を見返す。

「……どういう意味だ？」

だが、相方は、またもやあの謎めいた微笑を浮かべると、少し困ったように応じた。

「説明するのはすごく難しいんですけど、簡単に言ってしまうと、人間ではなく、幽霊とぶつかったようなものだと思えばいいと……」

「──幽霊？」

ポカンとした表情で繰り返したあと、ふいに真顔になった男が、「幽霊って」と慌《あわ》てふためいて確認する。

「俺がぶつかった相手は、幽霊だったのか？」

「違いますよ」

「だが、今、お前、そう言った──」

言い募《つの》る男を遮るように片手をあげ、相方は面倒くさそうに説明する。

「誰も、幽霊とぶつかったなんて言っていませんよ。『幽霊とぶつかったような、もの』と言ったんです」

「……どう違うんだ？」

ムスッとして訊き返した男に、相方が答える。

「単純に幽霊と人間の違いですよ。あんなふうに正面衝突できたのであれば、あの青年は、間違いなく生身の人間です」

「そりゃ、よかった」

「ただ」

気がかりそうに端整な顔をしかめた相方が、続ける。

「かなり異色で、ものすごく気になります」

「気になるって」

男が、びっくりして訊き返す。

「お前が？」

「はい」

「天上天下、唯我独尊を地で行くお前が、他人のことが気になるっていうのか？」

「天上天下、唯我独尊を地では行っていませんが、そうです」

「ものすごく？」

「近年にないくらい」

具体的な表現を使って認めた相方が、疎《うと》ましそうに確認する。

「悪いですか？」

「悪くはないさ」

ただ、ちょっと空恐ろしいというだけでと、男は心の中で付け足した。

他人にあまり興味を示さない相方が、こうして興味を示したこともさることながら、その様子に、先ほどからどこか戸惑いのようなものが感じられることにも、驚きを禁じえない。

その原因が、すべて、さっきぶつかった青年にあるのだとしたら、男としても、俄然《がぜん》、興味が湧《わ》くというものである。

だが、ぶつかった青年が何者であるかはいっさいわからず、あのあと、どこに行ったかも定かでない状況では、たとえどんなに正体を知りたくても知りようがない。

なんとも残念なことである。

そう思って、新たに、男のために運ばれてきたお茶に手をつけようとしていると、その腕に手をかけて止めた相方が、「――ということで」と話を締めくくる。

「そのお茶はお預けにして、今すぐ、あの青年の正体を突き止めてくれませんか？」

「――は？」

押さえつけられた腕はそのままに、男が眉をひそめて見返すと、能面のような表情をした相方が、ほっそりとした顎《あご》をあげて窓の外を指し示した。つられて振り返ると、店の大きな窓越しに、なぜか、先ほどと同じ青年が、先ほどとほぼ同じ場所にいるのが見えた。

「あれは――」

（――デジャヴ？）

男は、一瞬呆気《あっけ》にとられるが、すぐに現実に立ち返ると、ニヤッと笑って応じる。

「へえ。これは、なかなか運がいい」

「そのようですね」

何をしているのか。

どうして、戻ってきたのか。

青年たちは、その場で何かを捜しているように見えた。

もっとも、それを窓越しに眺めている二人には、彼らがそこで何をしているのかなどどうでもよく、ただ、そこにいてくれたことで、彼らの正体を知る手がかりを得ることができるという事実だけがありがたかった。

そこで、遅まきながら「了解」と承諾した男は、先ほどの失態を挽回《ばんかい》すべく、敏捷《びんしょう》な足取りで、入ってきたばかりのドアから出ていった。

5

飲茶がメインの喫茶店を出てきた男が、ユウリとシモンのあとを追うのを、少し離れた場所から見ている男がいた。

長身瘦軀《そうく》。

長めの青黒髪を首の後ろで無造作《むぞうさ》に結び、底光りする青灰色の瞳で標的をとらえて離さない。飄々《ひょうひょう》としていながら、身ごなしにわずかな隙《すき》もなく、まるでどこかの国の工作員のような雰囲気《ふんいき》を持っているが、あくまでも民間人に過ぎない男の名前は、コリン・アシュレイ。

ユウリたちより一つ年上で、二年前に同じパブリックスクールを卒業したのだが、その後、特にどこかの大学に行くでもなく、気の向くまま、世界中を飛び回っているようである。

イギリスに並ぶものはないと評判の豪商「アシュレイ商会」の秘蔵っ子で、人を翻弄《ほんろう》するのをなんとも思わない。だが、悪魔のように頭が切れ、なんとも蠱惑的《こわくてき》に人を惑わすため、どれほど高慢であろうと、熱狂的な信者があとを絶たなかった。

そんな一癖も二癖もあるアシュレイは、某美術品の後始末をするために来日していたのだが、帰国直前、「ブラック・ウィドウ」と呼ばれるいわくつきの代物《しろもの》が発見されたという報を受け、わざわざ帰国を延ばして横浜に来た。

その最中の現在だ。

ひとまず、男が出てきた店の外から店内にいる人物をスマホのカメラに収め、彼はすぐさま配下の人間に送信する。改めて身元を照会するためだ。

その青年は、ここ数日、彼が調査している「ブラック・ウィドウ」のまわりをチョロチョロとうろついていた。

正体や目的はまだ不明だが、アシュレイが思うに、敵方の人間ではないはずだ。それよりはむしろ、彼なりにのっぴきならない事情があって、同じものを追い求めているように思われてならない。でなければ、今回、コレクター業界で騒ぎを起こしている出品者同様、そこに秘められた意味も知らず、単純に世に流布している「ブラック・ウィドウ」に執着しているだけか。

なんにせよ、万能のアシュレイをもってしても予測がつかなかったのは、彼が、その場に偶然居合わせたユウリに興味を示したことだった。

ああしてあとをつけさせているのが、何よりの証拠である。

ややあって、アシュレイは、店内の青年に背を向けると、ユウリとシモンのあとを追って行った男のあとを付け始めた。

それは、俯瞰《ふかん》で見たら、奇妙な三つ巴《みどもえ》の追跡劇として映るだろう。

やがて、元町付近にやってきた彼らであったが、離れた場所から観察を続けていたアシュレイは、その後の展開に対し、次第に目を見開いていく。

「……へえ」

なんとも言い難《がた》そうな声をもらしたアシュレイは、呆《あき》れたように内心でつぶやく。

(なるほどね。さすがと言おうか、なんと言おうか。——なんにせよ、これはこれで、またそれなりに楽しめそうだ)

そこで彼は、口元に「してやったり」と言いたそうな笑みを浮かべ、そのまま成り行きを見守った。

6

一方。

財布を落としたユウリのため、一度、先ほど全力疾走してきた男と衝突した場所まで戻ったユウリとシモンは、無事、財布を取り戻すと、ふたたび中華街を抜け、元町までやってきた。

次なる目的地は、「港の見える丘公園」だ。

途中、ペットショップのショーウィンドウに目を奪われたユウリに、シモンが話しかける。

「ところで、ユウリ。ヨコハマ土産は何が有名か、知っている？」

「ヨコハマ土産……」

昼寝中の子犬からなかなか目が離せず、気もそぞろに受けたユウリが、ややあって顔を戻してから答えた。

「そうだな、代表的なところでいえば、やっぱり中華街の月餅《げっぺい》とか」

「中華街の月餅って、中華菓子《チャイニーズフード》ってことだよね？」

「うん」

「つまり、日本人の血を引く君が、日本土産に中国《チャイナ》のお菓子を勧めるのかい？」

「そうだよ。だって、横浜の中華街は、横浜の歴史とともにあるから」

「ふうん」

どこか納得がいかなそうなシモンに対し、今度は、ユウリのほうから尋ねる。

「お土産といえば、マリエンヌとシャルロットへのお土産は、何がいいと思う？」

「マリエンヌ」と「シャルロット」というのは、シモンの麗しき双子の妹たちの名前で、ロワール河流域に建つベルジュ家の城でなに不自由なく育った二人は、邪気のない天使のごとく天真爛漫《てんしんらんまん》な性格をしている。

そんな彼女たちの目下の趣味は宝探しで、広大な庭のあちこちに、自分たちで宝物を埋めては掘り返したり、誰かに掘り返させたりしている。

シモンがチラッとユウリを見おろして応じた。

「そうだね。古びて見えるガラクタなら、なんでもいいと思うよ」

「……ガラクタ？」

ユウリが、少々困ったように繰り返す。

中華菓子に対抗しているわけではないだろうが、せっかく買おうとしているお土産候補に「ガラクタ」はないだろう。

だが、シモンは、けっこう真面目《まじめ》に答えているようだ。

「さっきからあちこち見ていると、時々、百年くらい前にタイムスリップでもしたのではないかというような雰囲気《ふんいき》のお店があって、陳列されているものも変わったものが多い。案外、妹たちの好みかもしれないと思って」

確かに、開港時を偲《しの》ばせる舶来品《はくらいひん》を模したようなものなら、探せばごまんと見つかりそうだ。もっとも、そのほとんどが紛《まが》い物《もの》であるのは間違いない。

ユウリが、その危惧《きぐ》を口にする。

「そうは言っても、本当のガラクタをあげても意味がないし」

「別に」

シモンが優雅に反論する。

「いいと思うよ。――どうせ、すぐに泥まみれになるんだ」

「ああ、なるほど」

つまり、庭に埋められてしまうということだ。

納得したユウリが、考えを改める。

「だったら、いっそ、宝物を隠すのに適した箱でも探したほうがいいかもしれない。……千両箱とか、どこかで売ってないかな」

最後のほうは日本語の呟きに変わっていたため、とっさに聞き取り損ったシモンが、

「え？」と訊き返した。

だが、ユウリが返事をする前に、横合いから誰かがユウリの名前を呼んだため、会話はそこで一旦途切れる。

振り返ると、近くのコーヒーショップにいた日本人の青年が、立ちあがってこっちに向かって手をあげている姿があった。

「やっぱり、ユウリだ。ユウリ・フォーダム！」

「あれ？　うそ⁉　樹人《みきと》？」

相手を認識して日本語で応じたユウリに対し、読んでいた文庫本を慌ただしく鞄《かばん》に突っ込み、その鞄を肩にかけつつ、右手で飲みかけのコーヒーを両手で引っつかんだ相手が、こちらに近づきながら邂逅《かいこう》を喜ぶ。

「うわ、懐かしい、ユウリ。元気だった？」

「うん、このとおり。――そういう樹人も、元気そう」

途中、どちらからともなくハイタッチしながら、樹人が応じる。

「元気だよ。――それにしても、すごいな、予感が当たった」

「予感？」

「そう。大学の掲示板で、フォーダム博士の特別公開授業のチラシを見た時、もしかしたら、どこかでバッタリ会えるんじゃないかと思ったんだ。それで、今日になって、朝からなんとなくそわそわしていたら、やっぱり会えた」

軽く目を見開いたユウリが、クスッと笑う。

「そういうところ、昔と全然変わってないね」

「まあね。特に、ユウリに対しては」

話しながら樹人の目がチラッと背後に流されたので、ユウリが「ああ、そうそう」と遅ればせながらシモンのことを紹介する。

「紹介するね。彼は、シモン・ド・ベルジュといって、フランス人なんだけど、同じパブリックスクールにいたんだ」

すると、軽く身体を寄せた樹人が、小声で心境を告白する。

「すごい友人ができたね。どこの王子さまかと思ったよ。——実は、今、君に声をかける前、数秒間見惚《みと》れちゃって」

「わかるよ。僕も、いまだに、時々見惚れているくらいだから」

深くうなずいて同調したあと、シモンを振り返り、英語で説明する。

「シモン。彼は篠原《しのはら》樹人といって、そうだな、僕の幼馴染《おさななじ》みと言っていいと思う」

「——へえ」

シモンは、一瞬、意外そうに水色の瞳を動かしたが、表面上、何げなさを装って持ち前の高雅さで手を差し出し、日本語で挨拶《あいさつ》する。

「初めまして。シモン・ド・ベルジュです」

「初めまして。篠原樹人です。——日本語、上手ですね」

「まあ、少しだけですけど」

明らかに謙遜《けんそん》とわかる応答に対し、やわらかく微笑んだ樹人が、ユウリに視線を戻して問う。

「それで、ユウリは、いつまで日本に？」

「さあ。……たぶん、あと一週間くらいかな？」

当然、新学期に間に合うように戻る必要があるのだが、具体的にいつ戻るかは、状況やシモンの気分次第であるため、まだ飛行機の手配はしていない。ただ、今回は、シモンの異母弟《いぼてい》であるアンリが、新しくロンドン大学の学生になるにあたり、ハムステッドのフォーダム家に居候することになっているため、引っ越しに間に合うよう、二人して、早めにロンドンに戻るつもりでいた。

ユウリの家の事情にも詳しいらしい樹人が尋ねる。

「京都には？」

「戻らない。先に寄ってから来たから。実は、母と姉も、まだ赤ん坊の弟を連れて一緒に出てきているんだ。——それで、せっかくだから樹人にも連絡しようと思っていたんだけど、いろいろとアクシデント続きで出来ずにいたんで、こうして偶然会えて、本当に嬉《うれ》しいよ」

「それは、よかった」

嬉しそうに微笑んだ樹人が、「君こそ」と続ける。

「相変わらず忙しそうだね」

「そうかな」

「お父さんの影響かな。なんといっても、最近のご活躍ぶりは――」

そのまま会話を続けようとしていた樹人だったが、ふいに「あ」と声をあげ、コーヒーショップに入ろうとしている知り合いに向かって手を振った。

「伊東くん！　ごめん、こっちだよ！」

その声に振り返った青年が、樹人の姿を認めて方向を変えるが、そばにいたユウリたちに気づくと、顔をしかめて不信感を見せた。それは、見慣れない人物に対する警戒心というよりは、そこに殺人鬼でも見出《みいだ》したかのような戦《おのの》き方である。

それに対し、ユウリのほうでも、少々特殊な反応を見せた。近づいてくる青年の腰のあたりに、何か黒いものが巻きついているように思え、煙《けぶ》るような漆黒の瞳を翳《かげ》らせる。

（あれは……？）

どうやら、その青年は、どこかで、何かよくないものを引き当てたらしい。

この段階では、まだ具体的に何とははっきりとは言えなかったが、いいものでないのは確かだ。

少なくとも、自分の友人と近しい間柄にある人間に、憑《つ》いていてほしいものではない。

平安時代から続く陰陽道《おんみょうどう》宗家の血を引くユウリには、世にいう「霊能力」というものが備わっていて、しかも、その力は尋常ではない。見えないものが見えたり、聞こえないものが聞こえたりするだけならまだしも、方法さえわかれば、見えないはずのものを具現化したり、根底から消し去ったりすることもできる。

もっとも、だからといって、そのことでユウリが何か得をするかといえば、そんなことはまったくなく、むしろ、命にかかわる危険な状況に追い込まれることもあって、あまり歓迎できたものではなかった。

初めて会う人物を見つめつつ、ユウリは小声で樹人に尋ねた。

「彼は？」

「伊東佑介といって、大学のサークル仲間なんだ。——なんでも、相談があるということで、ここで待ち合わせをしていたんだけど」

説明しながら、樹人がチラッとユウリを見る。察しのよい彼は、どうやら、ユウリの声の調子だけで、何かを悟ったようである。

すかさず、付け足す。

「もしかして、何かまずい？」

「たぶん」

頷いたユウリは、すぐそばまで迫った相手に聞こえないよう、口早に忠告する。

「彼からは、何も受け取らないほうがいい。できれば、彼にも早めに手放すよう、説得したほうが――」

そこで、タイムアップとなった。

三人の前までやってきた青年が、落ちくぼんだ目で、ユウリとシモンをジロジロ見ながら言う。

「急に呼び出して悪かったな、篠原」

「ううん、それはいいんだけど」

樹人の言葉にかぶせる勢いで、佑介が切り込む。

「――で、彼らは？」

「ああ、えっと、僕の幼馴染みで、ここで、ばったり会ったんだ」

「……ばったり、か」

そんな偶然はありえないと疑っているような口調で受けた佑介が、シモンを顎で示して続ける。

「彼も？」

ユウリは、シモンに対し、これほど不躾《ぶしつけ》な態度を取る人間をあまり見たことがない。

生まれながらにして人を自然と従わせてしまう高雅さを持つシモンを前にすると、たいていの人間は、つい畏《かしこ》まってしまうからだ。

ある意味、すごいが、そのすごさは、彼自身ではなく、何か違うものが要因となって引き起こされているに違いなく、言い換えると、それだけ、彼の精神がなんらかの影響を受けてしまっているということだった。

樹人が、苦笑気味に答える。

「ああ、いや。彼は、僕の幼馴染みの友人で、一緒に来日したみたいなんだ」

「なんで？」

「――なんで？」

会話の流れが今一つ汲《く》み取《と》れなかった樹人が、思わず訊き返した。

「『なんで？』って、どういうこと？」

「だから、理由だよ。なんで、わざわざ来日したのかって」

「……それは、えっと、ふつうに考えて、夏休みだからだと思うけど」

すると、それまで黙ってことの成り行きを見守っていたシモンが、そこでついに口をはさんだ。

「ユウリ。僕たちは、そろそろ行かないかい？」

「――ああ、うん。そうだね」

いちおう同意はするものの、ユウリは、目の前の青年と樹人を二人だけにしてしまって本当に大丈夫かどうか、そのことが気になっている。

だが、ユウリの気持ちを察した樹人が、「じゃあ」と彼のほうから別れを告げた。

「僕たちも行くよ、ユウリ。ここで会えて、よかった」

「うん、僕も」

「助言も、ありがとう。心に留《と》めておくようにするから」

それは、感謝を示すというよりは、気がかりそうな表情でいるユウリを安心させるための言葉だった。

樹人の意図するところを理解したユウリが、ホッとした様子を見せて頷く。

それを機に、元町の人混《ひとご》みの中に溶け込んだ樹人とその友人を名残惜《なごりお》しげに見送っていたユウリに対し、シモンが、華奢《きゃしゃ》な肩に手を置いて促しながら、問いかけた。

「彼らのことが、ずいぶんと気になっているみたいだね？」

「……うん」

「何が、そんなに気になるんだい？」

「わからない。……たぶん、いろいろ」

答える気があるのかないのか、よくわからない返事をしつつ、ようやくみずからの意思で歩き始めたユウリから手を離し、シモンが「それなら」と尋ねる。

「僕も、気になっていることを訊いてもいいかい？」

だ?」

「『篠原樹人』なんて、初めて名前を聞いたように思うけど、そんな幼馴染みがいたん
「ああ、うん」

ユウリが、軽く微笑んで応じる。

「そういえば、話したことがなかったかも。——もっとも、幼馴染みとはいっても、一緒に過ごした期間は案外短いんだ。僕がイギリスに行く前に、父の仕事の関係で東京の小学校に通ったことがあって、その数年の間だけだから」

「ふうん。——でも、そのわりに、仲がよさそうに見えたのは、僕の気のせい?」

ユウリが、「どうだろう?」と意外そうに応じる。

「仲がよさそう、か。——いちおう、彼とは年賀状のやり取りはしていて、お互い、連絡先くらいは知っているけど、実は、ほとんど音信不通なんだよ。でも、だからといって不安にはならないし、いつだって会えば、さっきみたいになんのてらいもなく、すごく自然な感じで打ち解けることができる。……たぶん、人との距離の取り方とか、そういったことが、すごく似ているせいだと思うんだけど」

「それは、すごいね。ちょっと羨《うらや》ましいくらいだ」

「そう?」

「もちろん」

上を向いて考え込んだユウリが、「あ、でも」と続ける。

「そういえば、そんな僕たちのことを見て、前に姉のセイラが、二人は『ソウルメイト』なんじゃないかと言っていたことがあったっけ」

「『ソウルメイト』――」

感慨深そうにその言葉を繰り返したシモンが、妙に嬉しそうにもう一度呟いた。

「なるほど。『ソウルメイト』ね」

それから、山手の丘に続く坂を登りながら、ユウリを見おろして尋ねる。

「それなら、僕とユウリはどうだろう。傍《はた》から見て『ソウルメイト』という感じはしないかな？」

どうやら肯定を前提とした質問であったようだが、意に反し、ユウリは首を傾げて考え込んだ。

「それは、どうだろう？」

「どうだろうって、君にとっては違うってことかい？」

拍子抜けしたように白々とユウリを見おろしたシモンに対し、ユウリが「もちろん」と弁明する。

「傍からどう見えるかはわからないけど、僕自身は、ちょっと違う気がする」

「どこが？」

「どこがって、単純に、シモンの場合、それ以上の気がするから」

「……それ以上？」

シモンが、興味深そうに澄んだ水色の瞳を軽く見開いた。

「そう。――これは、僕の勝手な解釈だけど、『ソウルメイト』というのは、世界に何人もいて、中には一生出逢《であ》わずに終わる相手もたくさんいると思うけど、シモンとは、そんな感じではなく……う～ん、なんだろう」

そこで、説明に窮したらしいユウリに対し、シモンが彼なりの想《おも》いを口にする。

「もっと、強い結びつきである、とか？」

「――ああ。うん、そうだね」

「本当に？」

確認され、ユウリは「いや」と慎重に言葉を選んだ。

「これは、あくまでも感覚的なことだから、『本当に』と言われると返事のしようがないけど、前に、やっぱり、姉のセイラが言っていたのは、僕とシモンは、出逢うべくして出逢った『宿命の友人』ではないかって――」

「『宿命の友人』か」

重々しく繰り返したシモンを見て、ユウリが申し訳なさそうに「でも」と続ける。

「それって、ちょっと大変そうだよね？　――やっかいというか」

「そう？」

「うん。それで、僕は今一つ納得がいかないんだけど」

「そうかな。僕は、悪くないと思うけど」

さらりと応じたシモンが、「なるほど、『宿命の友人』ねえ……」と考え込んだ横で、ユウリも、徐々に思案顔になっていく。

ぶらぶらと坂を登っていく二人の間に、意味深長な沈黙が下りた。

その間、フランスの貴公子が何を考えていたかはわからなかったが、ユウリのほうの思考は、ふたたび先ほど別れた友人とそのサークル仲間の上に飛んでいて、とめどない不安がぶり返していた。

（何も起こらないといいけど……）

だが、それを期待するには、あとから加わった男――伊東佑介は、あまりに負のエネルギーを背負いすぎている気がした。

7

一方。

ユウリたちと別れた樹人は、伊東佑介に連れられて、元町にある小さな神社の境内《けいだい》にやってきた。観光地にもなっている繁華街の裏通りにあるにしては、赤い鳥居《とりい》が神気を醸し出す、それなりに立派な社殿である。

しかも、どこか親しみが湧く境内であった。

おそらく、地元の人たちから愛されている社《やしろ》なのだろう。

(こんなところに、こんな神社があったとは——)

たまに、このあたりまで遊びに来るので、それなりに土地勘はあるつもりの樹人であったが、ここに来たのは初めてだし、神社があることも知らなかった。

まして、遠くからちょっと遊びに来たくらいの観光客には、絶対にわからない場所だろう。

樹人と佑介は、大学で知り合ってまだ一年くらいで、親しいといえるほど親しくはなかったが、飲み会などで聞いた話では、佑介の出身はこのあたりで、小さい頃はインターナショナルスクールに通っていたということだった。英語をネイティブ並みに使いこなせるとあからさまに自慢していたのが印象的で、なんとなく記憶に残っている。

とはいえ、それにしても、である。

（……今どき、神社で密談？）

もの珍しげにあたりを見回しながら、樹人は、どうして、話をするのに喫茶店などではなく、こんな場所に来たのかと不思議に思う。

すると、境内の石段に座り込んだ佑介が、眼窩《がんか》の落ちくぼんだ目で周囲に怯《おび》えた視線をやりながら、まずは謝った。

「悪いな、こんな場所で」

「いいけど。――空気がきれいな場所だし」

それは、正直な感想だ。

樹人は、神社や教会など、きれいに清められた場所が好きで、へたに空気の悪い喫茶店などに連れていかれるよりは、遥《はる》かにましである。

だが、続く言葉は、穏やかではない。

佑介が、暗い目つきで告白した。

「実は、ずっと誰かに尾行されているみたいで、人の多い場所は落ち着かないんだ」

「尾行って……」

石段に片足をかけて立っている樹人が、目を見開いて友人を見おろす。

「尾行されるような理由に心当たりでもあるわけ？」

樹人の頭に真っ先に浮かんだのは、「ストーカー」という言葉であったが、佑介は、「まあ、いちおう」と言って、意外なことを告白する。

「実は、俺、すごいものを手に入れてしまって」

「――すごいもの？」

「お宝だよ」

「お宝……？」

意表をつかれた樹人が、ほとんど棒読みで繰り返す。正直、「お宝」なんて、子供の頃に読んだ冒険小説の中でしか聞いたことがない。

しかたなく、もう一度繰り返す。

「お宝って？」

すると、顔をあげ、暗い目で樹人をじっと見つめた佑介が、反応を窺うように慎重に一つの呼び名を告げた。

「『ブラック・ウィドウ』」

重い沈黙が落ちる。

樹人が目を瞬いた。

それから、ゆっくりと訊き返す。

「『ブラック・ウィドウ』？」

「そう」

「──って、なに？」

「知らないか？」

「うん。ごめん、知らない」

するとうっすらと笑った佑介が、「いや」と応じる。

「別に、知っている必要はないことだから」

「……そうなんだ？」

だったら、なぜ、あんなふうに反応を窺うような真似《まね》をしたのか。

訳がわからずにいる樹人に対し、佑介が、ふたたび「悪い」と謝った。

「変な話をしているよな」

「そうだね」

「でも、たぶん、篠原は、『ブラック・ウィドウ』のことを知らないし、知っていたとしても興味がないと思って、相談することにしたんだ。君が信頼に値するというのは、ふだんの言動でわかっていたことだし」

「──それは、どうもありがとう」

正直、なんと答えていいかわからなかった樹人は、ひとまず礼を述べる。ただし、相手が自分を信頼してくれているからといって、自分が相手を信頼できるとは限らない。

そして、樹人は、佑介のことを百パーセント信頼する気にはならなかった。

少なくとも、さっき会ったユウリ・フォーダムとは違い、佑介と樹人は、一線を画したくなるだけの性質の違いがあるのは間違いなさそうである。

そこで、樹人は、ひとまず疑問に思っていることを訊く。

「それで、その『ブラック・ウィドウ』というのは、いったいなんなわけ？」

「知らないなら、知らないままでいたほうがいい。ただ、ある人たちにとっては、とても価値のあるもののようだな。――それを手に入れるためなら、人を殺してもいいと思うほどにね」

ふいに友人の口をついて出た殺伐とした言葉に、樹人が眉をひそめて確認する。

「人を殺してもいい？」

「そう」

真剣な表情で頷いた佑介が、暗い視線を鳥居のほうに向けて続ける。

「実際、今、この瞬間にも、誰かが俺を見張っていて、俺が見つけたものを取り上げようと、虎視眈々《こしたんたん》と狙《ねら》っているんだ」

「まさか――」

樹人にしてみたら、とても正気の沙汰《さた》とは思えなかったが、それでも、とっさに首をめぐらせて周囲の様子を窺った。だが、そこには、子供連れの主婦がいるくらいで、彼の言うような怪しい人物は見当たらない。

やはり、佑介の妄想なのか。

だが、思い返せば、確かに、樹人は、今日、彼に会うのを少し億劫に思っていた。ふだん、大学で彼と会っても、特に何を思うわけでもない、ふつうに会話をする友人であるのに、今日に限って、なぜか鬱陶《うっとう》しい。この鬱陶しさや億劫さは、佑介本人に向けられたものではなく、佑介が背負っている何かが影響しているのだろう。

樹人には、「霊感」と呼べるような強い力はなかったが、昔から、予感というか、何かが動く波動のようなものを察するのは早く、空気を通して肌に伝わるものの気配には敏感だった。

そのおかげで、災難を逃れたことも、一度や二度ではない。

だからこそ、神社や教会のような清浄な空気を保っている場所が好きなのだ。

もっとも、今の場合、彼自身の予感などというあやふやなものではなく、この状況を軽く考えないほうがいいと判断するだけの確固たる理由があった。

──彼からは、何も受け取らないほうがいい。

先ほど、偶然会った幼馴染みが発したとっさの忠告。

ユウリ・フォーダムは、一風変わった人間だ。一緒にいるだけで、清々《すがすが》しい気持ちになれる清浄な空気をまとっているのだが、その煙るような漆黒の瞳は、時おり、現実にあるものを通り越し、その奥にある何かを見ているようだった。

そんな時の彼は、ふつうの人間には見えないものを見たり、聞こえないものを聞いたりしているみたいで、樹人は幼心に尊敬と畏怖《いふ》の念を抱いたものである。

それに、これは大きくなって知ったことだが、ユウリの京都にいる親戚《しんせき》は、平安時代から続く陰陽師の家系であるという。

それらのことを踏まえたうえで、樹人としては、今現在自分が置かれている状況は、かなり油断のならないものに思えた。

黙り込んだ樹人をどう思ったのか、佑介が皮肉げに笑って言う。

「俺のこと、バカなことを言う奴だと思っているんだろうな」

「別に、そんなことはないよ」

「本当に？」

「うん。尾行されているというのなら、そうなのかもしれないし」

すると、自分で言っておきながら、すんなりと信じてくれた樹人を奇異な目で見やった佑介が、それでも、ようやく心の拠《よ》り所《どころ》を見つけたかのようなホッとした様子で、告白した。

「――実は、『ブラック・ウィドウ』をネット・オークションに出品してから、おかしなことばかりが起こっていて、正直、ものすごく戸惑っている」

「おかしなことって、たとえば？」

「まず、電話だな」

「電話？」

「そう。ネット・オークションで『ブラック・ウィドウ』が公開されたその日に、うちに非通知で電話がかかってきて、すぐに出品を取りさげるように警告された」

佑介のもの言いに引っかかりを覚えた樹人が、念のため、確認する。

「それは、脅されたってこと？」

「いや。そこまであからさまではなかったけど、『取りさげないと、大変なことになる』と言われたんだ。それで、内密に取り引きしようと持ちかけられた。『ブラック・ウィドウ』は、俺みたいな素人には扱い切れないって」

「それで、どうしたの？」

「断ったに決まっているだろう」

即答した佑介が、気味悪そうに続ける。

「だいたい、なんで、うちの電話番号がわかったんだよ。公開はしていないんだ。それなのに、直接電話してくるなんて、真っ当な人間がやることじゃない」

「それは、そうだけど」

だが、だからこそ、とっとと手放せばいいのではないかと、樹人は思う。

「他には？」

「似たような電話が、何回か」

「毎回、同じ人？」

「たぶん、違うと思う。——よくわかんないけど、結局、ネット・オークションは、金額が破綻《はたん》して、買い手が決まらないまま、閉鎖になった」

「買う気のない人間に、場を荒らされたんだね？」

「そうなんだろうな」

樹人には「ブラック・ウィドウ」がどんなものであるかはわからないが、一部の人間には、有名な美術品か何かなのだろう。

顔の汗を拭《ぬぐ》った佑介が、続ける。

「でも、これでようやく静かになるかと思いきや、今度は、アパートに空き巣が入って部屋の中をさんざん荒らされたんだ」

「空き巣？」

「信じられないだろう？」

座ったまま目を剝《む》いて、佑介は訴えた。

「警察は、金目のものを狙ったただの空き巣だろうと言っていたけど、たぶん、そいつらの狙いは、『ブラック・ウィドウ』だったんだ」

「――そっか」

腕を組んで考え込んだ樹人が、確認する。

確かに、ちょっと尋常ではなさそうだ。

「それで、『ブラック・ウィドウ』は無事だったわけ？」

「もちろん」

頷いた佑介が、「ただ」と表情を翳らせた。

「万が一、俺が殺された場合――」

とたん、樹人が怒ったように遮った。

「やめろよ。縁起でもない」

「そうなんだけど、この調子でいくと、その可能性がまったくないわけじゃない」

「だったら、警察に相談すればいい」

だが、佑介は首を振って、提案を退けた。

「警察は、事件が起きないと動いてはくれない」

「それなら、いっそ『ブラック・ウィドウ』を手放せば？」

先ほど、ユウリは、樹人に注意をうながすと同時に、できれば、佑介にもそれを早く手放したほうがいいと忠告するように言っていた。

そこで、樹人は、重ねて主張する。

「そうだよ。そんな危ないもの、さっさと手放すべきだ」

「わかっているさ、そんなこと」

存外素直に、佑介は認めた。

「手放すよ、もちろん。いつかは、ね。——ただ」

そこで、欲望に目を光らせながら続ける。

「手放すにしても、時期というものがある。一連のことで実感したけど、アレは、思った以上に価値があるらしい。つまり、やり方次第では、ものすごいことになるはずだ。それを、タイミングを逃したせいで、せっかく手に入るはずだったものがパアになってしまうなんて、そんなもったいない真似は、できないだろう?」

またもや、樹人には理解しがたいことを述べた佑介が、「だから」と話を戻した。

「万が一、俺が殺された時のことを考えて、『ブラック・ウィドウ』を、ひとまず君に預けようと思うんだ。もちろん、謝礼は出す。たっぷりとね。——だから、預かってくれるよな?」

だが、意に反し、樹人は片手をあげて押しとどめた。

「悪いけど、君からは、何も受け取れない」

心底びっくりしたように、佑介は目をみはった。どうやら断られるとは、これっぽっちも思っていなかったらしい。

「受け取れないって、どうして？」

「そう、僕に教えてくれた人がいるから」

「教えてくれた？」

その言葉に、若干の疑いを持ったらしい佑介だったが、それでも、説得を続ける。

「だけど、預かってくれたら、君にも、それなりの富を約束すると言っているんだよ？　マジで。それに、万が一俺が死ねば、君には莫大《ばくだい》な金が手に入る。――絶対だ」

すると、悲しそうに表情を翳らせた樹人が、それでもきっぱりと言い返した。

「だとしたら、よけい、受け取るべきではないと思う」

「なんで。悪い話じゃないのに」

「もし、本気でそう思っているなら、君は、はっきり言って大バカだ。命と引き換えにするような富なんて、絶対にロクなものではないのに――」

それに対し、ムッとしたように「ふん」と鼻を鳴らした佑介が言った。

「バカなのはどっちだ。莫大な富を手に入れるためには、それなりのリスクを負う必要がある。ハイリスク、ハイリターン。それくらい、今どき、小学生だって知っている」

樹人が、小さく頭を振って口をつぐんだ。

これ以上話していても、平行線を辿《たど》るだけだと思ったのだ。この瞬間、樹人と佑介が一線を画す基準の違いが、はっきりと露呈したようなものである。

質素で堅実なものに幸福を感じるか。

贅沢《ぜいたく》だが危険の多いものに幸福を求めるか。

「──ねえ、伊東くん」

樹人は、無駄とわかっていながら、最後にもう一度忠告する。それが、他でもない、この忠告を最初に樹人にしてくれたユウリの望みであると思ったからだ。

「僕が言いたいことは、一つだけだよ。──少しでも早いうちに、その『ブラック・ウィドウ』とやらを手放すんだ。でないと、きっと後悔する」

それだけ言うと、途方に暮れたような表情で固まってしまった佑介を残し、一人、神社をあとにした。

8

その夜。

アパートの一室で寝っ転がってテレビを見ていた佑介は、鳴り出した携帯電話に、ビクリと身体を震わせる。

電話に対し、かなり、過敏《ナーバス》になっているらしい。

見れば、非通知表示となっていて、出るか、出ないか、迷ったあげく、彼は電話に出た。

すると、音声変換でもしているらしい機械的な声で、いきなり『イトウユウスケくんだね？』と尋ねられた。

まるで、誘拐犯が身代金《みのしろきん》の要求をしてきた電話のようである。名前の読み方が、ものすごくカタカナっぽいところに、そんな印象を強く覚えた。

これから、何が起こるのか。

不安が増すような電話だった。

「そうだけど」

佑介が不審そうに答えると、機械音のような声がさらに言う。

『あの「ブラック・ウィドウ」は、君のものではないね？』

「は？」

いったい、何を言い出すのやら。

驚いた佑介が、怒ったように答える。

「俺の、だけど？」

だが、相手は、機械的な声のまま、淡々と事実を突きつける。

『嘘《うそ》はよくないな。アレは、君が教会の地下室で見つけたものであるはずだ。その証拠に焼け焦げた跡がある』

「違う！」

『嘘はよくないと言ったはずだ。アレは、火事の中で紛失したもので、本来は、あの教会にあったものだ。つまり、正当な持ち主は別にいる』

「違う、違う！　アレは、俺のものだ！」

『欲を出しては、いけないな。そちらが勝手に持ち出したものとはいえ、我々はそれ相応の値段で引き取ろうと言っているのだ。素直に従ったほうがいい』

「ふざけるな。アレを、オークション会社に持ち込めば、三億円以上の値がつくと言われているんだ。欲しけりゃ、オークションに参加しろ！」

相手が、電話口で奇妙な間を取った。

それから、機械的な音声のまま、苦笑される。

『懲りない男だね、君は』

「なんとでも言え」

とっさに電話を切ろうとした彼の耳に、最後の警告が飛びこんでくる。

『だが、君が踏み出そうとしているのは、大地の途切れた崖《がけ》の上だ。——いいか。せいぜい、火に気をつけろ。「ブラック・ウィドウ」は、火遊びが大好きなようだから』

9

どこかの店先からもの憂《う》いシャンソンが流れるパリの昼下がり。

セーヌ左岸の学生街にある通りに面したカフェの一つで、ノート型端末を前にカフェオレをすすっていたルイ＝フィリップは、テーブルの上に置いてあったスマートフォンが電話の着信を知らせたのを見て、取りあげた。

ふだんは学生たちでにぎわうこの界隈も、夏休みの間は静かで落ち着いている。

「アロー」

彼が電話に出ると、極東の地にいる同志が、挨拶もそこそこに報告した。

『交渉は決裂だ。かなり強欲な男らしい』

「なるほど」

通りかかった二人組の東洋系の女性に、まだ行ったことのない彼の地を重ね合わせながら、ルイ＝フィリップは黄緑色の瞳を細めて言い返す。

「それは、非常に残念なことだな」

『誰にとって？』

揶揄《やゆ》するような相手の切り返しに、ルイ＝フィリップは意外そうに片眉をあげる。

「もちろん、僕にとってだ。誰も、好き好んで非道なことをするわけではないからな。ただ、使命として仕方なくやるんだ。だから、彼が、こちらの申し出に素直に従ってくれさえしたら、こちらはなんの憂いもなく済んだのに……」

本気でそう考えているとしか思えない口調であるのが、逆に寒々しさを与えるルイ＝フィリップは、電話の向こうで嘆息《たんそく》した相手に対し、「でもまあ」と続けた。

「仕方ない。『ブラック・ウィドウ』が火に強いのはすでに実証済みであるから、余計なものは燃やしてしまって、灰の中から拾いあげろ」

『了解』

「――今度こそ、ぬかるなよ？」

『はっ。高みの見物をしている奴は、黙っていろ』

そこで、通話の途絶えたスマートフォンを置き、彼はふたたびカフェオレのカップに手を伸ばしながら、開かれたノート型端末の画面に視線を移した。

そこに、ある人物の履歴書のようなものが映し出されている。

左側に大きめの写真が掲載され、右側のスペースと下部の全面に、その人物の事細かな経歴やプロフィールが書かれているようだ。ただし、普通の履歴書との決定的な違いは、写真が正面をとらえたプロフィール用のものではなく、どこかで密かに撮られたスナップ写真であることだった。

写真の中の青年は、ギリシア神話の神々も色あせるほどの美貌である。

陽の光を集めたような金色の髪。

南の海のように透き通った水色の瞳。

二次元に写し取られてなお、神々しさの失われないその人物は――。

「シモン・ド・ベルジュ……」

「ブラック・ウィドウ」に関連して送られてきた写真の中に彼の姿を見出した時は、はっきり言って驚いた。

なぜ、フランス人の彼が日本にいるのか。

しかも、この時期に――。

もちろん、ベルジュ家の財力をもってすれば、「ブラック・ウィドウ」を手に入れることなど容易《たやす》いはずで、彼も競争相手の一人と見なしても不自然ではない。

だが、ルイ＝フィリップは、いま一つ、納得がいかなかった。

シモンのことは噂で聞くだけであるが、公明正大で暗き部分など一切持ち合わせていない太陽の公子のような人物像と、現在、己が関わっている闇の部分が、うまく結びつかないせいである。

「なぜ、ベルジュがこの件に関わっているんだ……？」

複雑な感情のこもった声でつぶやいたルイ＝フィリップは、解答を求めるように写真からでも伝わってくる高雅な姿を目に焼き付けていたが、ややあって蓋をするように指先で画面を閉じると、残りのカフェオレを飲み干して席を立った。

第二章　押しつけられた災難

1

夏の陽射《ひざ》しが降り注ぐ鎌倉《かまくら》の山中を、ユウリとシモンは軽快な足取りで歩いていた。

今日は、一泊二日の予定で、鎌倉観光に来ている二人である。

東京から鎌倉まで、電車で一時間もかからない距離ではあったが、禅寺での早朝座禅や海辺での朝食など、やってみたいことを詰め込んでいたら、一泊してしまったほうがいいということになったのだ。

どうせ、勝手気ままな夏休みだ。

近場の一泊旅行も乙《おつ》であろう。

残暑は相変わらず続いていて、山道をえんえん歩いている彼らは、先ほどから汗をかきっぱなしであったが、きれいな空気と緑の中でかく若者たちの汗は、健康的でさらりとしている。

「見てごらん、ユウリ。鳥居《とりい》だ」

「どこ？」

指さされた方に視線をやったユウリの横で、取り出したスマートフォンで位置情報を取得したシモンが、ややあって悩ましげに伝えた。

「なんとか神社だけど、残念ながら僕には読めない。――やっぱり、漢字は一筋縄ではいかないね」

「見せて」

覗き込んだユウリが、すぐに笑って応じる。

「安心していいよ、シモン。これは、日本人でもすぐには正解がわからない」

「そうなのかい？」

「うん。……たぶん、『くずはらおか』と読むのだろうけど……」

言いながら、横からシモンのスマートフォンの画面をスライドしたユウリが、ややあってうなずく。

「やっぱり、そうだ。『くずはらおかじんじゃ』というお社《やしろ》だよ」

話しながら説明書きを読んだユウリが、「へえ」と興味ぶかそうな声をあげる。

「ここって、縁結びで有名な神社らしい。それにちなんでだと思うけど、『魔去ル石』というのがあって、悪いモノとの縁切りもやっているみたいだ」

「『魔去ル石』？」

「うん」

「『魔《イヴィル》』を『去る《ゲットオフ》』する石ということかい？」

「そうだよ」

「それなら、悪魔《デヴィル》も追いやることができるのかな？」

「たぶんね」

応じたユウリが、神社のほうに視線を向けて誘う。

「なんか面白そうだから、寄ってみない？」

「喜んで」

そこで二人は、それまで歩いて来た山道を逸《そ》れ、神社のある方へと向かう。

葛原岡神社は、北鎌倉寄りの山中にある由緒ある神社で、鎌倉のパワースポットとしてそれなりに信仰を集めている。特に最近は、ユウリが読んだネット上の説明書きにもあるように、男石と女石の間に巡らされたしめ縄に、赤い紐で五円玉を結ぶ縁結びが有名になりつつあった。

だが、まだ男女の縁結びにはさして興味のない二人は、むしろ、「魔去ル石」のほうにより興味を引かれたようである。

階段を登りつめた先にある本殿にお参りし、木立を渡る清々《すがすが》しい風を満喫したあと、戻る途中にある縁結びのエリアは、どちらからともなく素通りした。

その際、ちょうどしめ縄に赤い糸で五円玉を結ぼうとしていた二人組の女性が、ふと顔をあげてシモンを見て、過ぎ去る姿に見惚《みと》れてしまったのに気づき、ユウリは内心で深い溜め息をつく。

彼女たちが、目前の恋を成就したければ、日を改めてもう一度お参りに来るか、それが無理なら、せめて鳥居からやり直したほうがいいだろう。

（シモンを縁結びの聖地に連れて来るのは、少々難ありかもしれない……）

密かに反省するユウリとは対照的に、少女たちにはまったく我関せずといった様子のシモンは、「魔去ル石」の前に立って、説明書きに目を通す。

一歩遅れて「魔去ル石」の前に立ったユウリが、自分の財布から百円玉を取り出し、それを料金箱に入れながら教える。

「その小さな盃を、『魔去ル石』に叩きつければいいみたいだよ。見事に割れたら、魔が去るんだって」

「ふうん」

お財布から二枚目の百円玉を取り出しながら、ユウリが「ということで」と尋ねる。

「シモンは、何枚欲しい？」

帰ってきた答えが意外過ぎて、とっさに聞き間違えたと思ったユウリが訊き返すと、肩をすくめたシモンが、半ば本気の口調で「冗談だよ」と笑う。

「そうだな。三枚くらいあればいいかな。――力《パワー》不足だとは思うけど」

そこで、ユウリは、さらに二百円、料金箱に硬貨を投入する。投入しながら、シモンのまわりで、今、やっかいな病気かなにかのトラブルに見舞われている人がいたかなと考えるが、すぐに思いつかなかった。

しかも、三枚の盃を一枚ずつ使って三人分のお願いをするかと思いきや、シモンは手にした小さな盃を三枚まとめて投げつけ、それを見事に「魔去ル石」にヒットさせた。

パキン。

ガシャッと。

派手な音を立てて割れた盃が、破片となってその場に散る。

それを見て、すっきりした表情になったシモンが脇に寄ったので、ユウリは、自分のために百円を使って、盃を一枚取り上げる。

それから、山の神気を自分の中に取り込むように深呼吸し、そこへ篠原樹人《しのはらみきと》の姿を重ね合わせながら願う。

「全部」

「――え？」

（樹人から、魔が去りますよう――）

最後に、想いを込めて手を振り上げ、盃を「魔去ル石」に投げつける。

パキンッ。

それは、見事に石の真ん中に命中し、きれいに砕け散った。

葛原岡神社をあとにした二人は、鎌倉駅方面に向かって山を下り始める。このあと、駅周辺の路地裏にある完全予約制の小さな割烹で、早めの夕食を取ることになっていたからだ。そのために、昼食は軽いものにしておいた。

道々、シモンがしみじみと言う。

「日本の神域って、ただ祈るだけではなく、アトラクションのようなものがあって楽しいね」

どうやら、先ほどの「魔去ル石」のことを言っているらしい。たしかに、今から行く「銭洗弁財天」にしても、籠に入れてお札を洗う場所があるので、それをアトラクションと言ってしまえばそういう楽しみ方もあり得る。

そこで、先ほどの場面を思い出したユウリが、そっと尋ねる。

「そういえば、シモンのまわりに、今現在、ケガや病気で苦労なさっている方がいるんだっけ？」

「いや」

意外そうに答えたシモンが、あっさり続ける。

「おかげさまで、みんな、心身ともに健康だよ」

「そうなんだ」

それなら、なぜ、三枚も盃を割る必要があったのか。

突っ込んで訊いていいものかどうか、ユウリが悩んでいると、シモンの方から水を向けてくれた。

「もしかして、『魔去ル石』のこと？」

「ああ、うん。シモンにしては、やけに想いが込められているようだったから、最近、ご親族になにかあったかと思って」

「心配せずとも、なにもないよ」

応じたシモンが、悪戯《いたずら》っ子のような笑みを浮かべ、「あれは」と心情を吐露《とろ》する。

「いわゆる、『アシュレイ避《よ》け』だから」

「……『アシュレイ避け』？」

「そう。僕にとっての身近な『魔』といえば、今のところ、彼以外にないからね。——正直、彼の悪辣《あくらつ》さを思うと、とても三枚で足りるとは思わないけど、ひとまず三倍のエネルギーを込めてみた」

「……なるほど」

種を明かされてみれば、なんてことない、冗談めいた話であった。ただ、シモンの中で冗談で済んでいるかどうかは、定かでない。

「そういうユウリこそ、かなり真剣に盃を投げていたようだけど、もしかして、例の幼馴染みのため？」

「うん」

さすが、シモン。

すべてお見通しのようである。

そこでユウリは、銭洗弁財天へと続く岩穴にシモンを誘導しながら、心の中で付け足した。

（なんとか、ご利益に与《あず》かれるといいけど……）

2

暗い夜道を、リュックを肩にさげた青年が足早に歩いていた。歩きながら、時おり、背後を振り返る。

何かに追われているのか。

どこか怯《おび》えた様子が伝わる。

その時、叢雲《むらくも》が途切れ、地上を照らした月明かりに浮かびあがったのは、伊東佑介《いとうゆうすけ》の顔だった。彼は、先ほどから、何度も背後を振り返っては何かを確認している。誰かに跡をつけられているような気がしてならないのだ。

今までも、何かの気配は感じていた。

教会の倉庫で、「ブラック・ウィドウ」を見つけて以来、彼は、常に背後に誰かがいるような気がしてならなかった。

何者かに、ずっと監視されているような——。

それがあまりに不気味で、彼は、ひとまず、「ブラック・ウィドウ」を別の場所に移すことにした。それで、一安心と思っていたら、妙な電話はかかってくるし、空き巣には入られるし、こうして、あからさまに跡をつけられるようにもなった。

やはり、すべての元凶は、ネット・オークションにあるのだろう。

あれは、いかにも軽率だった。

翌日にかかってきた知らない人間からの電話で、どうやって、この番号を知ったのかと問いつめたら、さもおかしそうに言われた。


——お前の個人情報なんて、ダダ漏《も》れだよ。


確かに、佑介は、さほどコンピューターに強くない。

それなのに、世間に追い立てられるようにスマートフォンを購入し、使い方やセキュリティーの在り方もよくわからないまま、重要な個人情報を打ち込んでいる。

たぶん、今の世の中、ほとんどの人間がそうだ。

ネット環境がどうなっているか、正確に把握《はあく》できていないにもかかわらず、みんな、個人情報を書き込んでしまっている。

だから、わかる人間には、ネット上に登録されている住所や電話番号など、簡単にわかってしまうのだろう。パスワードなど、ほとんど意味をなさない。個人情報なんて、このご時世、盗もうと思えば、昔より簡単に盗めるのだ。

ただ、それでも特に問題もなく暮らしていけるのは、みんな、たいして人から興味を持たれていない、ふつうの人間だからだ。

そこに個人情報が転がっていても、誰も見向きもしない。

そういうふつうの人間はまた、個人情報の流出に無関心であったりする。

今までの佑介が、そうだったように——。

それを実感した彼は、急にいろいろなことが怖くなった。

近づいてくる誰もが敵に思え、隣の住人が彼を見張っているのではないかと疑う。

信じられる人間など、数えるほどしかいない。

それで、そのうちの一人である、大学のサークルで知り合った友人に相談に乗ってもらおうと思ったのだが、思いの外、冷たくあしらわれてしまった。

とはいえ、決して、親身になってくれなかったわけではない。

彼なりに、真剣に心配してくれているのがわかった。たぶん、ふだんから勘のよさそうな彼には、佑介が抱えている災難のことがわかったのだろう。

警察に相談しろというのは、正論である。

我欲を捨て、「ブラック・ウィドウ」のことを正直に話せば、警察も、もう少し熱を入れて話を聞いてくれるはずだ。

それはわかっているのだが、警察に話せば、「ブラック・ウィドウ」の所有権が彼にないのが明らかになってしまう。

昨夜の電話は、見事にその点を突いていた。

落とし物は、落とし主に返す必要がある。

この場合、誰のものかはわからなくても、教会で拾ったものであれば、教会に返すのが筋というものだ。

だが、「ブラック・ウィドウ」の価値を思うと、それは、やはり簡単にできることではなかった。

（アレのおかげで、世界が変わる――）

あと、ちょっとの辛抱《しんぼう》なのだ。

すべてがうまくいった暁には、彼の人生は、未来に向かって大きく開かれる。

バラ色の人生だ。

別に今だって、それほど困った生活をしているわけではない。

親の金で大学に行き、独り暮らしまでさせてもらっている。大学だって、それなりの大学に通い、就職活動もいずれはするだろう。

両親を見習って、坦々《たんたん》と働き、坦々と幸福な日々を送る。

それが人の幸福だと、教会で教わった。

だが、そんなありきたりな生活が、彼には我慢がならない。

何か、ものすごいことが起きて、誘惑に満ちた人生を、なに不自由なく贅沢《ぜいたく》に楽しみたい。

地道に生きるのではなく、華やかな世界で華麗に暮らしたいのだ。

それを、「ブラック・ウィドウ」が手伝ってくれる。

港を一望できるマンション。

モデルをしているきれいな彼女。

どんなことも、思いのままだ。

と——。

佑介が、尾行のことも忘れ、妄想に耽《ふけ》りながらいつものように人けのない公園を突っ切っていると、ふいに行く手に知らない男が立《た》ち塞《ふさ》がった。

暗くて顔は見えないが、小柄な男だ。シルエットからして、すでに「おじさん」の域に入っているようである。

五十代半ばくらいか。

ギクリとして足を止めた佑介が、誰何《すいか》する。

「誰だ——?」

だが、相手は答えず、怒ったような口調で用件だけを言う。

「——どこにある?」

「何が?」

「とぼけるな！」

　苛立《いらだ》たしそうに言うなり、手にしていたものを佑介に向かって投げつけ、佑介が怯《ひる》んだ隙《すき》に躍りかかってきた。

　もつれるように地面に転がった彼らのまわりに、小さな紙片がパラパラと散らばって舞い踊った。男が投げつけたものから、抜け落ちたものだ。

　佑介の上に馬乗りになり、首を絞めつけながら男が問《と》い質《ただ》す。

「本物をどこにやった⁉」

　とたん、佑介は合点して苦しげに返す。

「……あん、た、空き巣に……入った……か」

「俺じゃないが、俺が雇った男だよ。俺には、それくらいの力がある。――だが、あんな偽造《コピー》、すぐに違うとわかったぞ！」

　男が、腕に力を入れ、さらに首を絞めつける。

「本物は、どうした？　どこにある？」

「アレは……安全な……場所に……」

「いいか。金を出さないと言っているわけじゃない。本物とわかったら、ある程度までは出してやる。だが、あんなふうに世間にさらしてしまったら、以前のように、その辺のにわか収集家《コレクター》が、もの珍しさに金に飽かして手に入れようとするだろう。そんなバカな話があるものか。あれは、俺のものだ！　——今度こそ、俺が手に入れてみせる!!」

興奮のあまり力の入れ具合がわからなくなっているようで、男の手の下で、佑介の顔から急速に血の気が引いていく。

だが、男は気づかない。

気づかずに、力を入れ続ける。

舌を出した佑介の口から、ヒュッと変な息が漏れた。

「前のオークションの時は、あと一歩のところで逃してしまった。あの時以来、ずっとこれだけを探してきたんだ！　——だから、教えろ。本物はどこにある!?　どこに隠した？」

それに対する答えはなかった。

その代わり、ふいに佑介の身体《からだ》から力が抜け、何かが絶対的に変化する。

そこに至って異変を感じ取った男が、佑介の首から手を離し、「おい？」と驚いたように声をかける。

「おい！　どうした？　答えろ！」

だが、白目を剝《む》いてぐったりとしている佑介からの返事はない。揺さぶった身体はなんの反応も示さず、ただ揺さぶられるままに揺れている。

そのことが示す、明白な事実——。

「まさか……。嘘《うそ》だろう……？」

殺す気などなかった。

ただ、本物が欲しかっただけだ。

欲しくて、欲しくて、欲しくて――。

と、その時。

「誰か、そこにいるのか？」

ふいに、公園の入り口付近で第三者の声がしたので、男は慌てて佑介から離れた。そのまま、逃げようとした際、佑介のスマートフォンが目に入り、とっさに上着のポケットから抜き取って走り出す。

こうなったらもう、それだけが、唯一、彼と本物の「ブラック・ウィドウ」を結びつけるものかもしれないからだ。

「おい、あんた、ちょっと待て――」

逃げる男に向かい、制止の声がかけられるが、当然、素直に待つことなどできるわけもなく、男は無我夢中で逃げ去った。

3

同じ夜。

石川町《いしかわちょう》駅の近くにある古いアパートの一室で、火の手があがった。

通報を受け、消防隊員が駆けつけた時には、すでに建物全体が炎に包まれ、なす術《すべ》もない状況だった。商業ビルと住宅が混在する地域であれば、あたりは野次馬《やじうま》で埋め尽くされ、真夜中であるにもかかわらず、現場は騒然とする。

もの珍しげに眺める者。

恐ろしげに隣の人と話し込む者。

切なそうな顔もあれば、どこか楽しそうに見える顔もあり、人々の思いはまさに千差万別であったが、その中に一人、どんな表情にも当てはまらない、淡々とした様子で燃え盛る炎を眺めている青年がいた。

そばかすのある顔に、一重まぶた。何を考えているのかわからない蛇《へび》のような視線が空恐ろしい、なんとも印象的な青年だ。肩まであげたTシャツから出ている二の腕あたりには、「P」の下部を長く伸ばしたようなものに「S」が絡みついたような文様の入れ墨が覗《のぞ》いている。

焼け落ちる建物を眺めながら、彼は、何事か呟《つぶや》く。傍目《はため》には独り言を言っているように見えるが、実は、ここにいない人間と電話で会話をしている。しかも、その独特のイントネーションは、フランス語のようである。

「……ああ。すべて順調だ。あとは、燃え滓《かす》の中から、我らが主《しゅ》の契約の印を拾えば終了かな。――もっとも」

そこで、声に疑念を交えて問いかけた。

「一緒に燃えてしまってなければの話だが……。今さらとはいえ、アレは、本当に燃えずに残ると思うか?」

それに対し、電話の向こうで何か言われたらしく、青年は頷《うなず》いて続ける。

「確かに、今回も、前回の火事の中から蘇ったんだったな。――ああ、もちろん、わかっている。そうするよ。ただ、必ずしもここにあったという保証は――、いや、住人が戻ってきた様子は」

と、その時。

野次馬の間を縫って近寄ってきた別の男が、電話中の彼の耳元で何事か告げた。

とたん。

「――なんだって?」

一重まぶたの青年が、驚いたように報告をもたらした相手の顔を凝視する。

「それは、本当か？」

相手が頷くのを確認すると、眉間《みけん》にしわを寄せて考え込んだ青年が、ここにいない相手との会話を再開する。

「問題発生。たった今、もたらされた極秘情報によると、この家の住人——現在『ブラック・ウィドウ』を所有している『イトウユウスケ』が、この近くで殺害された可能性が高いらしい」

電話の向こうで、相手が憤りの声をあげるのがわかった。目を瞑《つぶ》り、その声を聞き流した青年が、「いや」と問いに答えて言う。

「情報が錯綜しているみたいで詳細は不明だよ。——そう、未確定。ただ、本当に『イトウユウスケ』が殺害されたのなら、この場に『ブラック・ウィドウ』がなかった場合、これ以上の探索が困難になるのは間違いないだろう」

だが、それで許してくれる相手ではなかったようで、青年は、制圧されつつある炎を見つめながら、神妙な様子で頷いた。

「もちろん、全力で、探索を続けるさ」

宣言した青年が、続いて請願の言葉を口にする。

「『ブラック・ウィドウ』に導かれ、大いなる闇《やみ》の力が、我らが光の子らのものとならんことを——」

4

翌朝。

シモンとユウリは、海辺のホテルで、遅めの朝食を取っていた。

昨日から鎌倉《かまくら》に遊びに来ている彼らは、このホテルで一泊し、予定通り今朝は夜も明けないうちから起き出して、海岸で日の出を見たあと、北鎌倉のほうにある禅寺で行われる早朝座禅に挑戦してきたのだ。

それから、ホテルに戻ってシャワーを浴び、さっぱりしたところで、ルームサービスで頼んだ朝食を食べ始めた。

精力的に動くシモンと一緒に行動していると、なんといっても、一日が長い。

できる人間というのは、時間の使い方がうまいだけでなく、本当に、人より長く時間を使って行動するのだろう。

食後のコーヒーを飲みながら英字新聞のワールドトピックスを読んでいたシモンが、新聞記事ではなく、テレビで流れたニュースのほうに興味を示した。それにしても、英語で書かれた記事を読みながら日本語で流れる情報を聞き取るとは、いったいどういう頭の作りをしているのか。

しかも、彼の母国語は、そのどちらでもないフランス語なのだ。

選び放題の言語の中から英語を選択して、シモンが確認する。

「ユウリ、この『伊東』っていう人――」

リモコンでテレビの音量をあげながら、ユウリもニュースに集中する。

公共放送のアナウンサーが、淡々とニュースを読みあげていく。

「――昨夜、横浜市中区でアパート火災があり、焼け跡から男性一人の遺体が見つかりました。警察は、火元と思われる部屋の住人と連絡が取れないことから、遺体の身元は、この部屋に住む伊東佑介さん、二十一歳とみて調べを進めています。なお、出火の原因など、詳しいことはまだわかっていません。――次に、同じく横浜市中区の公園で、昨夜、通行人が何者かに襲われて病院に運ばれました。男性は意識不明の重体で、目撃者の証言では……」

ニュースが変わったところで、ユウリが呟く。

「……伊東佑介?」

シモンが、澄んだ水色の瞳《ひとみ》でユウリを見つめながら言う。

「僕の記憶が確かなら、一昨日、君の幼馴染《おさななじ》みが待ち合わせしていた相手も、同じ名前だったよね?」

一度か二度、耳にしただけのはずなのに、よく覚えているものである。

「そうだったかも」

「場所も、ヨコハマだし」

「うん」

「もし、本人なら、いったい何があったんだろう?」

「……わからないけど」

少なくとも、ユウリの忠告は届かなかったようである。

ただ、そうだとしても、この展開は、想像していたより遥《はる》かに早い。

あの段階で彼の顔に死相は出ていなかったし、崩壊までは、まだかなり猶予がありそうに思えた。

それなのに、二日もしないうちにこんな災難に見舞われるとは——。

確かに、いったい何があったのか。

「もっとも」

シモンが、コーヒーに添えられていたチョコレートに手を伸ばしながら言う。

「まだ、亡くなったのが彼と決まったわけではないようだけど」

「そうだね」

それでも、彼が住んでいるアパートが火事になったのは、間違いない。

火。

蛇のような影。

（あの青年は、何に関係していたのだろう……）

そして、今頃、樹人《みきと》はどうしているのか。

何より気になるのは、あのあと、樹人が伊東佑介から何も受け取らずに帰ることができたのかどうかだった。

もし、そうでなければ、これらの災厄が、すぐにでも樹人に飛び火する可能性は大いにあった。

ユウリが、憂いながら考え込んでいると、鞄《かばん》の中で携帯電話が鳴り響く。

ユウリは、いまだにスマートフォンではなく、携帯電話を使っている前世代の生き物である。

そして、なんとも珍しいことに、鳴り出した電話に出る。

いつもは、サイレント設定にしてあるのだが、昨夜は、シモンの異母弟であるアンリのことで、父親やハムステッドの家を管理している執事のエヴァンズと話す用事があったため、サイレント設定に戻すのを忘れていたのだ。

「もしもし？」

『あ、ユウリ。僕、樹人だけど』

「――樹人？」

たった今、頭に思い描いていた人間からの電話に、ユウリは驚く。だが、よくよく考えてみれば、樹人とはいつもこんな感じだ。ふだんはまったく連絡を取り合わないのに、こうして、いざ連絡を取るとなると、すごくスムーズに取り合える。

英字新聞に目を戻していたシモンが、チラッとこちらに水色の瞳を向けた。

樹人が、言う。

『午前中のうちから、電話なんかして、ごめん』

「ううん」

『もしかして、寝てた？』

「寝てないよ。午前中といってももう昼に近いし、言わせてもらえば、座禅も組んできたくらいで」

『……それは、すごいね——って、鎌倉にでもいるわけ？』

「当たり」

応じたユウリが、「そうだ」と勢い込む。

「そんな話をしている場合ではないんだっけ。今、ニュースを見たけど」

『ニュース？』

ユウリは、当然、そのことで彼が電話をしてきたものだとばかり思っていたのだが、予想に反し、樹人の反応は薄かった。

『ニュースって、なんの？』

「横浜市で火事があったっていうニュースだけど、見てない？」

『うん』

　頷いた樹人が訊《き》き返す。

『横浜で火事があったんだ？』

「中区って、ニュースでは言っていた。しかも、火元になったのが『伊東佑介』という人の部屋で、亡くなったのは、その人ではないかというようなことを言っていたんだ」

『――本当に？』

　初耳だったらしい樹人は、電話口で本気で驚いていた。

「伊東佑介って、一昨日、樹人と一緒にいた人だよね？」

『そう。それに、中区なら、確かに伊東くんが住んでいるところだな。……でも、まさか、彼が亡くなったなんて』

「あ、まだ、警察も彼と断定しているわけじゃないみたい。ただ、焼け跡の遺体の身元がわからず、部屋の住人と連絡が取れなくなっていることから、その可能性が高いというだけで」

『そうなんだ。できれば、伊東くんではないといいんだけど……』

　沈んだ声で受けた樹人が、『だとしたら』と続ける。

『やっぱり、ちょっと、これはまずいのかな』

どこか困惑したような声に対し、ユウリが尋ねる。

「まずいって、何が？」

『……うん』

そこで、電話越しに躊躇《ためら》う素振りを感じさせた樹人が、ややあって『一昨日』と切り出した。

『君、彼から何も受け取るなって、僕に言ったよね？』

「言った。――受け取ってないよね？」

『うん』

きっぱりと認めたあと、そのことでホッとするユウリの耳元で、樹人は電話越しに続ける。

『その場ではね』

「その場では？」

繰り返したユウリが、焦って訊き返す。

「その場ではって、どういうこと？」

『それが、今朝、うちの郵便受けに入っていたんだけど、どうやら、伊東くん、僕に何かを送りつけてきたようなんだ』

「……送りつけてきた？」

　それもまた、身勝手な話である。

　受け取るのを拒否した相手に、郵便で送りつけるなんて——。

『そうなんだよ。ちょっと強引だろう？』

「そうだね。中身は、見てみた？」

『開けてないけど、たぶん、どこかの鍵《かぎ》だと思う。それでもって、それは、『ブラック・ウィドウ』に関係したものであるはずなんだ』

「『ブラック・ウィドウ』？」

『そう。それが、唯一、僕が彼から受け取ってしまった情報かな。でも、それが、何かは調べていないから、わからない。君が、何も受け取らないほうがいいと忠告してくれていたから、情報にアクセスするのもやめておいたんだ。——ある意味、それも彼から何かを受け取ることになるだろう？』

「そうだね。賢明だったかも」

　そこで、瞳を伏せて考え込んだユウリに対し、樹人が言った。

『それで、最初は、送りつけられたものを、開封せずに送り返して終わりにしようと思ったのだけど、なんとなく、その前に、君に相談したほうがいいような気がして』

「そっか」

そこで、ユウリは、電話口で「ちょっと待ってて」と言うと、シモンを振り返って尋ねた。

「シモン。今日って、このあと、どうするんだっけ？」

「特に決めてないよ。——そろそろ、ロンドンに戻る準備を始めてもいいと思っていたところだし、なんなら、君は、幼馴染みに会ってくるといい」

どうやら、ユウリの言葉だけで、電話の内容を察してくれたようである。

「え、でも、シモンはどうするの？」

「別に、適当にその辺をフラフラしてから、東京のホテルに戻るよ。——そんな心配せずとも、子供ではないんだし、日本語も不自由はしてないから、僕のことは気にしなくて大丈夫だよ」

「ああ、うん。それは重々わかっているけど」

そこで、少し躊躇ったのち、ユウリが訊いた。

「ちなみに、頼めば、一緒に来てくれたりはする？」

シモンが、意外そうにユウリを見た。

それは、ふだんのユウリからは考えにくい、かなり珍しい申し出だったからだ。

「もちろん、一緒に行ってよければ、君に付き合うけど」

「本当に？」

「当たり前だろう」

「先に言っておくと、かなり退屈かもしれない」

シモンが、肩をすくめて応じる。

「少なくとも、このことで、大いにはしゃごうとは思っていないから、安心していいよ」

そこで、ユウリはクスッと笑うと、電話口に戻って応じる。

「待たせて、ごめん。それなら、今日、このあと会おう」

『いいのかい？』

「うん。友達も連れていくけど、いいよね？」

『友達って、この間の華麗《ゴージャス》な彼だよね。華麗というか、高貴《ノーブル》というべきなのかな。もちろん、いいよ。——ただ、せっかく日本に来ているのに、こんなことに付き合わせてしまうのが、申し訳ない気がする』

「大丈夫。シモンなら、毎年来ているし、来ようと思えばいつでも来られる。それに何より、いろいろな意味ですごく頼りになるんだ」

『ああ、わかる気がする』

それで、少し心の重荷が取れたのか、樹人は、待ち合わせの場所と時間が決まったところで、早々に電話を切った。

ユウリが携帯電話をしまっていると、背後でシモンが訊く。

「火事の件ではなく？」

「うん」

「そういえば、一昨日、彼に会った後、君、気になることがあるようだったけど、今回のことは、それと関係があるのかい？」

テーブルの前に戻り、冷めたコーヒーに手を伸ばしながら、ユウリは大きく頷いた。

「大ありだと思う。――樹人は、僕の忠告を受け入れて災難を避けたはずなのに、どうやら、向こうからしつこく追いかけてきたみたいなんだ」

「へえ」

片眉《かたまゆ》をあげたシモンが、続ける。

「それで、僕は、なんの役に立つのかな？」

「わからないけど、なんとなく、シモンに助けてもらえそうな気がして――。なんて、そんな曖昧《あいまい》な理由で付き合わせて申し訳ないけど」

「だから、それは気にしなくていいと言っているだろう。むしろ、こうして頼ってもらえて嬉《うれ》しいよ。――もっとも」

そこで少し残念そうな口調になり、前髪を梳《す》き上げながらシモンは続けた。

「日本だと、持てる力の半分も発揮できないと思うけど」

「シモンの場合、それで十分だと思う」

「そう言ってもらえると、ちょっと安心する」

そこで彼らは、短かったが充実した鎌倉旅行に終止符を打つべく、それぞれ、身支度に取りかかった。

5

火事から一夜明け、まだあちこちで煙のくすぶる焼け跡では、関係各所から集まった人々によって、現場検証が行われた。

オレンジや黄色、黒、青と、さまざまな色合いの制服を着た人間が、焦げ臭さの漂う中をバタバタと忙《せわ》しなく動き回る。

それらに交じり、一人の若い警察官が歩き回っていた。

水色のシャツが印象的な制服に身を包み、制帽を目深に被《かぶ》っている姿は、どこからどう見ても警察官であったが、その動きはどこかおかしい。

帽子の下の一重まぶたが印象的な彼は、足下を見ながら、先ほどから必死に何かを捜しているようである。

そんな彼のそばでは、数人の私服刑事が集まって、ぼそぼそと情報交換をしていた。

「放火に決まったようだな」

「放火か」

「放火は、証拠品も少なくて厄介なんだよなあ」

「だけど、遺体の身元はわかったそうじゃないか」

「ああ。当初考えられていた人物と違って、プロの空き巣だったたって」

「空き巣に入って、火に巻かれて死んだのか?」

「間抜けだな」

「いや、遺体には、鈍器による損傷があったというから、放火魔と鉢合わせて殺された可能性もある」

「それはまた、複雑な」

そこで、一人の刑事が首をひねって応じた。

「――あれ、でも待てよ。そういえば、ちょっと前も、このアパートで空き巣被害がなかったたか?」

「ああ、そうそう。しかも、被害に遭ったのって、今回の火事の火元になった部屋だったはずですよ」

「伊東佑介の部屋か」

「そうだった。俺が調書を取ったんで、よく覚えているよ」

「つまり、なにか」

一人の年輩の刑事が、話を整理する。

「このアパートは、二週間で二回も空き巣に狙《ねら》われたうえに放火されたってことか」

「そうなるな」

「だが、そもそも、こんな古いアパートに、プロの空き巣が入るものか？」

「確かに、金目のものがごっそりあるとは思えない」

それに対し、現場を見回した刑事が、「でなければ」と推測する。

「伊東佑介の部屋には、金目のものがあったとか――。案外、今回の放火の動機も、むしろそこにあるのかもしれない」

その言葉に対し、近くで捜し物をしている警察官が、チラッとこっちを見た。

刑事たちが、話を続ける。

「つまり、すべての原因は、伊東佑介にある？」

「なるな」

「だが、そうなると、伊東佑介って何者だって話にならないか？」

「でも、調書によると、ふつうの学生だったはずですよ。特筆すべきこともありませんでしたが、実家がこの辺にあって、そこそこのお坊ちゃんだった気がします」

「すごいお坊ちゃんではないんだな？」

「そこそこ」

「――だが、肝心のその『お坊ちゃん』は、どうしたんだ。自分の部屋が火事になったっていうのに、まったく姿が見えないなんて」

するとそのタイミングで駆けこんできた刑事の一人が、息を切らしながら報告した。

「伊東佑介の居場所がわかりました」

「よくやった！」

「どこに隠れていたんだ。もしかして、実家に匿《かくま》われていたとか？」

「いえ。病院です」

「――病院？」

不思議そうに訊き返した刑事が、他の刑事と顔を見合わせてから尋ねた。

「なんで、病院に？」

「それが、昨夜から、その可能性が密かに囁《ささや》かれてはいたんですが、この先の公園で襲われて意識不明の重体になっている被害者が、伊東佑介だったんです」

「――なんだって⁉」

もたらされた情報に衝撃を受けた刑事たちが、動揺しながら続ける。

「いったい、どうなっているんだ？」

「空き巣被害にあった伊東佑介が路上で襲われて重体で、彼のアパートに侵入しようとした空き巣は殺され、あげくの果てにアパートが放火……」

犯罪のてんこ盛りである。

「……いったい、伊東佑介は、何に関《かか》わっていたんだ？」

「案外、彼を徹底的に調べてみる必要があるかもしれないな」

それに対し、刑事たちのそばで聞き耳を立てていた制服警官も、伊東佑介が病院に運び込まれたという情報に反応し、制帽の下で瞳を輝かせていた。

(奴《やつ》は、生きていたか――)

それだけで、彼の心は高鳴る。

(希望は、まだ潰《つい》えていない)

と、その時。

喜びを噛《か》みしめている彼に向かって、一人の刑事が話しかけた。

「おい、君、ちょっと」

振り向いた警察官が、敬礼してから近づいていく。

「何かご用でしょうか?」

「いや、君、見ない顔だな?」

「はい。手伝いに駆り出されました。通常は、隣の管区の所属です」

「なんにせよ、立ち番の制服警官だろう。野次馬の整理もしないで、そんなところで、何をしている?」

「ああ、失礼しました。実は、先ほどまでここにいた上司から、現場にペンを落としたらしいと連絡があったので、捜しがてら現場を一回りしてみようと」

「そうか。だが、どんな事情があろうと、勝手に持ち場を離れないでもらいたいね。しかも、現場を勝手に歩くなど、言語道断だ」

「は。気をつけます」

「それで、君はどこの所属――」

だが、その時、その刑事に向かって入り口のほうから声がかけられたので、彼は、若い警察官のことを胡散臭《うさんくさ》い目で見つつ、そばを離れた。

ただし、一言釘《くぎ》を刺すのを忘れない。

「いいか。あちこち、触るんじゃないぞ」

「は」

敬礼した状態でその場に残された制服警官が、しばらくして「チッ」とひどく疎ましげに舌打ちし、捜索を再開する。

頭ごなしに叱責《しっせき》されたのが、我慢ならない様子だ。

ちなみに、彼が捜しているのは、「上司」のペンなどではなく、「同志」である仲間が心から求めている伝説の「ブラック・ウィドウ」だ。

あるいは、その残骸《ざんがい》――。

火事の中でも燃えずに残ると考えられる、「ブラック・ウィドウ」。

それが、ただの紙に描かれたものであることを思えば、火事の中で燃えずに残るなど、とてもありうる話ではなかった。

まさに奇跡か。

でなければ、大いなる闇の力が働いてこそ、可能なことといえよう。

だが、明け方から何度も見てまわっているが、いくら捜しても、それらしきものは発見できない。

やはり、火事の中で燃え残るなど、ありえないことだったのだ。

そんなおとぎ話のような奇跡は、現実には起こり得ない。

それよりは、むしろ、「ブラック・ウィドウ」は、初めからここにはなかったと考えたほうが、明らかに現実味がある。

(それに)

警察官に扮《ふん》している青年は、希望に満ちて思う。

(伊東佑介が生きているなら、まだまだ見つけ出すチャンスはある――)

それでも、万が一、ここで「ブラック・ウィドウ」を発見した場合、それによって彼が受けることになる栄誉のことを思えば、無駄と知りつつ、わずかな可能性に賭《か》けて捜してみるだけの価値はあった。

(気まぐれな「ブラック・ウィドウ」よ)

青年は、心の中で愛《いと》しげに呼びかける。

(お前は、いったいどこにいる?)

思いながら、彼は、なおも、人々が動き回る火災現場で、身分を偽りながら目的のものを捜し続けた。

6

六本木にあるフランス系のホテルに戻ってきたユウリとシモンは、ホテル内のティー・ラウンジで、篠原《しのはら》樹人が来るのを待った。

午後三時のティータイム。

禅寺の座敷も、由緒ある茶室も、シモンがいるだけで華やかで格調高いものに見えたものだが、やはり、こういう西洋のクラシカルな調度品に囲まれると、彼が生まれながらに持つ高雅さが際立った。

シモンがいるだけで、その場がまさに王侯貴族のサロンのようになる。

当然、その華やぎを一緒に満喫している客たちの視線は、老若男女を問わず、かなりの割合でシモンのほうに流されていた。

そんな中、シモン自身は、周囲の視線などものともせず、ユウリの相手をしながら、時おりスマートフォンをチェックしている。別にここにいない人間とＬＩＮＥなどをやっているわけではなく、今現在、彼らが必要としている情報を獲得しているに過ぎない。

「――へえ」

何回目かのチェックで、何か新しく情報を得たらしいシモンが声をあげるのと、樹人がティー・ラウンジの入り口に姿を現したのは、ほぼ同時だった。

時間どおりにやってきた樹人は、ウェイターに案内されている間、もの珍しそうにあたりを見回しながら歩いてくる。

「樹人」

「ああ、ユウリ。——よかった」

何が「よかった」なのか、窓際のテーブルで彼を待っていた二人にホッとしたような視線を向けた樹人は、ソファーに座りながら、改めてシモンの姿をほれぼれと眺める。

「それにしても、なんか、すごいね。すごいという以外、言葉が出ない。ごめん、語彙《ごい》が貧弱で」

ユウリが、笑いながら応じる。

「いいけど、何に対しての『すごい』なわけ？」

「自分でもよくわからないけど、この場所も、この場所に馴染《なじ》んでいる二人も」

まだ大学生の樹人は、ホテルのティー・ラウンジなど、ほとんど足を踏み入れたことがない。行ったとして、せいぜい修学旅行生がいっぱいいるガチャガチャしたホテルのロビーくらいで、こんな格式の高いホテルなど、入ったためしがなかった。

ましてや、お茶をするためだけに——。

ユウリが言う。

「でも、そう言う樹人だって、けっこう馴染んでいるように見えるけど？」

シモンが頷く。

「確かに」

「それは、さっきから、ここにあるのは、豪華に見えても、所詮《しょせん》はただの椅子《いす》とテーブルだと自分自身に言い聞かせているからだよ。学食と変わらない」

「なるほど」

同意したユウリに、シモンも倣う。

「実際、そのとおりだし」

すんなり受け入れてくれた二人に対し、樹人が改めて礼を言う。

「それはそうと、貴重な時間を僕のために割いてくれて、ありがとう。本当に感謝しているんだ」

「気にしなくていいよ。それより、例のものは持ってきた？」

彼らは、すでにアフタヌーン・ティーを頼んでいて、樹人も運ばれてきたお茶に適当に口をつけながら、「うん」と頷いて、鞄を探る。

「――これなんだけど」

やがて、樹人が鞄から取り出したのは、なんの変哲もない白い封筒だ。一部が少し盛り上がっていて、前もって聞いていたとおり、鍵のようなものが入っているのが、外からでも確認できた。

「まだ、開けてないんだね？」

シモンの問いかけに、樹人が頷く。

「開封前なら、送り返せると思って」

「でも」

ユウリが、困ったように横から言った。

「送り返すにしても、相手が亡くなっていたら……」

「その点は、大丈夫のようだよ」

明言したシモンを見て、ユウリが「そうなんだ？」と確認する。

「うん。さっき、情報が入ってきたのだけど」

シモンが、スマートフォンを振りながら教える。

「どうやら、あのアパート火災で亡くなったのは、伊東佑介ではなかったらしい」

「じゃあ、誰だったの？」

ユウリの問いかけに、再びスマートフォンに視線を落としたシモンが答える。

「よくわからないけど、ここには三十代の男性とある。しかも、鈍器で頭を殴打された形跡があるらしく、火事の前に死んでいたようだね。——これを読む限り、なんだか、複雑な事件のようだな」

「でも、それじゃあ、伊東くんは？」

樹人が、心配そうに訊く。

「さっき話を聞いてから今までの間に、いちおうメールを入れてみたけど、返信がないんだ」

スマートフォンをタッチしたシモンが、「彼は」と教える。

「意識不明の重体だそうだよ」

「意識不明の重体？」

「そう。現場での情報が錯綜《さくそう》したのか、単純に間違えただけなのか、昨日の夜、横浜市中区で立て続けに起きた二つの事件、公園で人が襲われた事件とアパート火災では、被害者が取り違えられていたみたいなんだ」

「つまり、路上で襲われたのが、伊東くんだった？」

「そういうことだね」

肯定され、樹人が痛ましげに視線を落とす。

「そうか。――ということは、やっぱり、彼の感じていた恐怖は、妄想ではなかったってことなんだな」

聞き捨てならない台詞に対し、ユウリとシモンが顔を見合わせる。

ユウリが訊いた。

「もしかして、伊東くんは、こうなることを予測していた？」

「うん。具体的にどうこうというのはなかったと思うけど、少なくとも、自分が死んだ時のために、僕に、『ブラック・ウィドウ』を預けたいという話はしていた。――ずっと尾行されていると怯えていたし、空き巣被害にもあったようだから」

「尾行？」

シモンが尋ねる。

「誰に？」

「さあ。相手が誰かは、伊東くんにもわかっていなかったと思う。ただ、『ブラック・ウィドウ』をネット・オークションにかけてからというもの、知らない人から電話がかかってきたりして、気味悪がっていたんだ。彼曰《いわ》く、ネット上では、個人情報がダダ漏れになっているって」

「ああ」

シモンが、当たり前のように頷いた。

「定期的にきちんとセキュリティに更新をかけたりしていなければ、そうだろうな」

とたん、ユウリが、「え？」と言って顔をあげる。

「僕は、何もしていないけど」

「だって、君は携帯電話だろう。携帯電話は大丈夫だよ。――それと」

そこで、珍しくちょっと皮肉げな口調になって、シモンは続けた。

「もう一つのスマホの方は、向こうが勝手にセキュリティー・チェックをしているだろうし」

シモンが暗に言っているのは、彼の天敵ともいえる元上級生、コリン・アシュレイがユウリに強制的に持たせているスマートフォンのことだが、話がややこしくなるので、ここでは、それ以上踏み込まずにすます。

「——まあ、それはともかく、『ブラック・ウィドウ』か。『ブラック・ウィドウ』が絡んでいるなら、そういう輩《やから》が出てきてもおかしくはないだろうね」

とたん、ユウリと樹人が、びっくりしてシモンを見た。

「え、もしかして、シモン。『ブラック・ウィドウ』が何か、知っているんだ?」

「そうだね。聞いたことがあるという程度だけど」

応じたシモンが、樹人に視線をやって問う。

「念のため、先に確認させてもらうと、君の友人は、切手のコレクションをしていた?」

「切手?」

繰り返した樹人が、少し考えてから答える。

「そういえば、以前、飲み会で、彼のおじいさんか誰かが蒐集《しゅうしゅう》した切手のコレクションを引き継いだとかなんとか、そんなことは話していたかもしれない。彼の実家は、けっこ

う お金持ちだから、かなりのコレクションだったみたいだし。——でも、彼自身が、必死で何かを集めていたという記憶はない……かな？」

「それでも、いちおう、切手のコレクションを持っていたんだよね？」

シモンの確認に、樹人が頷く。

「そのはずだよ。切手の本も持っていたし」

「やっぱり」

会話する二人の顔を交互に見ていたユウリが、焦《じ》れたようにシモンに尋ねる。

「シモン。切手のコレクションが、どうかしたの？」

話の流れからして、それが「ブラック・ウィドウ」と関係しているのはわかったが、どう関係するのかが、わからない。

問い質すユウリを水色の瞳でとらえ、シモンが言う。

「今、説明するけど、その前に、封筒の中身を確認しよう」

そこで、彼らは、未開封だった封筒を開けた。

中から出てきたのは、思ったとおり、タグも何もないありきたりな鍵と一枚の磁気カード、それに地方銀行のロゴが入った一枚の紙だった。そこには、数ケタの数字が、無造作《むぞうさ》に並んでいる。

「どうやら、貸し金庫の鍵のようだね」

鍵と磁気カードと紙を順番に取り上げて眺めたシモンが、最後の紙片を指先に挟んで振りながら続ける。

「しかも、暗号にするでもなく、こんなふうに剝《む》き出《だ》しで送ってきたところを見ると、よほどパニックになっていたと考えていい」

「パニックね……」

さもありなんと思いつつ、ユウリは尋ねる。

「貸し金庫ということは、そこに『ブラック・ウィドウ』があるのかな?」

「そうあってほしいよ」

シモンが、少々面倒くさそうに応じた。これで、冒険映画のように、貸し金庫にヒントの紙でも残されていたらたまったものではないと言いたいのだろう。

苦笑したユウリが、「それなら」と訊いた。

「肝心の『ブラック・ウィドウ』というのは?」

「それは」

そこで一呼吸置いてから、シモンが告げた。

「『ペニー・ブラック』だよ」

「『ペニー・ブラック』?」

もったいぶるでもなく、なんともあっさり口にされた言葉を繰り返したユウリが、

「えっと、それって……」と曖昧な記憶を辿《たど》る。

「ヴィクトリア女王の横顔が印刷されたイギリスの古い切手？」

「そう」

シモンが、人さし指をあげて肯定する。

「しかも、ただ古いだけではなく、世界初の切手ということで、蒐集家《コレクター》には絶大な人気があるんだ。それに加え、デザインとしてヴィクトリア女王の横顔がモチーフとなったものは、その後も四十年以上印刷され続けたけれど、消印との関係で、背景が黒の『ペニー・ブラック』は、一八四〇年の五月からほぼ半年刷られたあと、背景を赤茶に変えた『ペニー・レッド』に取って変わられ、その短い販売期間を終える。そのため、『ペニー・ブラック』は、世界初の切手という触れ込みとともに、その稀少《きしょう》性が買われ、蒐集家たちの間で垂涎《すいぜん》の的となったんだ」

「ふうん。知らなかった」

ユウリが、感心して言う。

「確かに、時々、オークション会社の案内とかで、『ペニー・ブラック』という単語は見たり聞いたりしていたけど、そんな事情があるとは思わなかった。単に、『ヴィクトリア女王』だから人気があるのだとばかり」

イギリスでは、歴代の女王に対する人気が高く、なかでも、大英帝国の繁栄を築いたヴィクトリア女王の人気は不動のものがある。

ユウリが続ける。

「だけど、僕の記憶違いでなければ、『ペニー・ブラック』って、一枚に、それほど高い値がつくわけではなかったような……」

もちろん、本来は一ペニーの価値しかないものに対する値段としては、どれも決して安いわけではなかったが、正直、蒐集家《コレクター》が、目の色を変えてまで追い求める値打ちはないはずだ。まして、殺人なんて――。

シモンが、頷く。

「そのとおり。未使用のものは、蒐集家の間でけっこうやり取りをされていて、言うほど、珍しいものではない。――問題は」

そこで、わずかに間を置き、シモンは続けた。

「使用済みの『ペニー・ブラック』のほうなんだよ」

「使用済み？」

意外だったユウリと樹人が、ここでも視線をかわして首をひねった。

「使用済みの切手に、価値があるんだ？」

「ある。変な話ではあるんだけど、使用済み切手のことを、専門用語で『エンタイア』と言って、今までに『ペニー・ブラック』のエンタイアは世界で十三枚しか見つかっていないため、確か、数年前のオークションでは、三億円前後の値がついたはずだよ」

「三、億、円——⁉」

同時に叫び、ユウリと樹人が目を丸くする。

「うん。しかも、少々記憶が曖昧だけど、競り落としたのは日本人じゃなかったかな」

だが、すでに「三億円」の情報で思考が麻痺《まひ》してしまったユウリと樹人が、それぞれの反応を口にする。

「使用済みの切手に、三億円……」

「家を買わずに、切手を買うんだ？　——しかも、使用済み？」

そこで、再び声を揃《そろ》えて疑問を呈する。

「なんのために——？」

シモンが、肩をすくめて応じた。

「それが、蒐集家《コレクター》というものだからだろう。彼らの価値観は、彼らにしかわからない。かく言う僕にも、彼らの気持ちはまったく理解できないけど、間違いなく、そこには一種の執念のようなものがある。対象物に取り憑《つ》かれているというべきか」

「——だよね」

ユウリが深く頷いて、確認する。

「それなら、話は元に戻るけど、『ペニー・ブラック』のエンタイアのことを、その業界では『ブラック・ウィドウ』というんだね？」

「……いや」

そこで、シモンは悩ましげに腕を組んだ。

「確かにそのとおりなのだけど、実は、その名前で呼ばれるようになったのは、ごくごく最近のことで、正式な呼び名ではない」

「そうなんだ。しかも、最近？」

「そうだね。『ペニー・ブラック』のコレクションの長い歴史に比べたら、『ブラック・ウィドウ』という呼び名は、本当に最近のことでしかない。――たぶん、ここ数年のことじゃないかな」

「そんなに、最近？」

意外だったユウリが、疑問を口にする。

「それって、もしかして、何か理由があるのかな？」

「あるかもしれない。――とにかく、誰が言い出したのかは知らないけど、使用済みの切手に対し、未使用《ヴァージン》のものと区別するために『未亡人《ウィドウ》』とつけているあたり、なかなか洒落《しゃれ》が効いていておもしろい。もちろん、ヴィクトリア女王が、アルバート公を早くに亡くして以来、ずっと喪服で過ごした未亡人であったことにもかけているのだろうし」

「確かに」

ようやく「ブラック・ウィドウ」の正体がわかったユウリが、一緒に話を聞いている樹人に視線をやって、「まあ」と告げた。

「三億円にはびっくりしたけど、これで、『ブラック・ウィドウ』を手にした伊東くんに災難が続いたのも頷けるね」

「……ああ、うん」

夢から覚めたような気分の樹人が、改めて、手元の白い封筒とその上に置かれた鍵やカードなどを見つめた。

その鍵は、まさに「三億円」という夢を摑《つか》むための鍵ということになる。

「そうとなったら、やっぱり、これは伊東くんに返したほうがいいんだろうけど」

「三億円」と聞いても、まったく食指を動かされていないらしい樹人の言葉に、ユウリが「だけど」と異議を唱えた。

「返すにしても、彼の意識が戻らないことには返しようがないし、へたに病室に置いてきて、騒ぎが起きても困るだろうから……」

「それはそうだね」

同意した樹人に対し、シモンが「かといって」と尋ねた。

「君が持っているのも、不安ではなく？」

「正直、すごく不安。できれば、返してしまいたい。——いっそのこと、今朝方電話してきた弁護士とやらに渡してしまおうかな」

「弁護士？」

シモンが、訝《いぶか》しげに訊き返した。

「弁護士から、連絡があったんだ？」

「うん」

頷いた樹人が、「でも」と続ける。

「そう言えば、ちょっと変な感じで……」

「変、というのは？」

「それが、『ブラック・ウィドウ』のことを伊東くんから任されているそうで、会いたいというので、ここに来る前に、ミッドタウンの入り口で待ち合わせをしたんだけど、見事、すっぽかされてしまったんだ。——もっとも、僕も、君たちとの約束があったから、十分も待たずにその場を立ち去ってしまったし、案外、向こうも、僕にすっぽかされたと思っているかもしれない」

だが、それに対し、シモンが水色の瞳を伏せて警戒するように告げた。

「……もしかしたら、それって、面通しだったのかもしれないな」

シモンの言葉に、ユウリと樹人が不思議そうな顔をする。

「面通し？」

「そう」

「――って、なに？」

まったく理解していない二人に対し、シモンが丁寧に説明する。

「たとえば、伊東くんがああいうことになり、『ブラック・ウィドウ』の行方がわからなくなってしまったとして、『ブラック・ウィドウ』を狙っている人間が、他に、そのことを知っていそうな人物を探すため、伊東くんのスマートフォンなりパソコンなりのデータを見たとするよね」

「うん」

双子のように頷くユウリと樹人に、シモンは説明を続けた。

「それで、最近、連絡を取った相手や、実際にメールで具体的な話をしている人間を見つけたら、それがどんな見た目であるかを知るために、相手に連絡して、どこかで待ち合わせをするように仕向けるんだ。ただ、そいつは、待ち合わせの場所には現れず、その場所が見えるところで待機していて、相手が来たら、どんな外見をしているか、チェックするんだよ」

説明し終えたシモンが、「もしかして」と樹人に確認する。

「待っている間に、非通知か公衆電話からの着信がなかった？」

少し考えた樹人が、「あ」と思い出す。

「あったかも。非通知でワンギリだったんで、ただの悪戯《いたずら》だと思って気にも留《と》めなかったけど、確かに電話がかかってきた」

「だとすると、やはり面通しの可能性が高いな」

ユウリが、横から心配そうに言う。

「つまり、樹人が誰かにマークされたってこと？」

「そうだね。——それに、その足でここに来たのであれば、今この瞬間、このティー・ラウンジのどこかに、その相手がいるかもしれない」

とたん、ユウリと樹人が、首をすくめてこっそりと周囲を窺《うかが》った。

夏休みとはいえ、世間は平日の午後である。

だが、豪奢《ごうしゃ》な座席は満席で、国内外を問わず、さまざまな人間が集まっていた。

他のテーブルを見回していたユウリは、二つほど隣の席に、五十代半ばくらいの小柄な男性が新聞を読みながら座っているのを目にする。

男性は、ユウリと目が合うと、スッと逸《そ》らして新聞に視線を落としたが、その様子が若干《じゃっかん》わざとらしい気がして、ユウリは少し気になった。

とはいえ、そういう目で見始めると、誰も彼もが疑わしく思えてきて、結局怪しい人間探しは諦《あきら》めた。

樹人も、ほぼ同時に視線を戻し、小さく溜《た》め息《いき》をつく。

「……それで、僕は、これから、どうしたらいいんだろう?」

ほとほと困り果てた様子の樹人を見て、シモンが提案する。

「とりあえず、今日はもう遅いし」

言いながら、腕時計を見おろして続ける。

「明日、伊東佑介が入院している病院に行ってみることにしよう。それで、彼のご両親にでも事情を説明して、この鍵を引き取ってもらうか、警察に持っていくか、決めてもらうしかない」

「遅い」と言っても、まだ午後五時前だが、病院を訪れるにしては遅いということなのだろう。

「そうだね。それがいいと思う」

同意したユウリが、樹人に言う。

「念のため、樹人は、今日、このままこのホテルに泊まったら?」

「――え?」

樹人が慌てる。

「いやでも」

簡単に言うが、こんな高そうなホテル、「はい、そうですね」で泊まれる場所ではない。

だが、心情を察したユウリが「心配しなくても」と伝える。

「僕の部屋を使っていいから」

「そんなこと言って、君はどうするんだい？」

「シモンの部屋のゲストルームを使わせてもらう」

「――ゲストルーム？」

ホテルの部屋にゲストルームがついているなど、樹人の常識の範疇《はんちゅう》を超えている。部屋を取っているだけでもすごいことなのに、ゲストルームのある部屋なんて、いったいどれほどの料金を払う必要があるのだろう。少なくとも、樹人の一ヵ月のバイト料を使っても払い切れるものではないはずだ。

それだというのに、この貴公子は、涼しい顔をして、おそらく二週間近く連泊しているに違いない。

非常識にもほどがあったが、ユウリはのほほんとしたものである。

そんなユウリのほうは、いちおう、父親が息子のために部屋を準備してくれていたが、シモンと一緒にいると、なんだかんだ夜中まで話し込んでしまうことが多く、たいがいシモンの部屋のゲストルームで寝てしまっていたため、せっかく用意してもらった部屋も、ほぼ未使用のままだった。

それらの事情を聞いたうえで、樹人がもう一度確認する。

「本当に、甘えてしまっていいのかな？」

「うん。そのほうが、僕も安心だし」

さすがに、今日の今日で、泊まっている部屋を襲撃されることはないだろう。

保護者ではなかったが、樹人がつい窺うようにシモンを見れば、こちらもしっかりと頷いてくれた。

思いの外、あっさり決まった方向性に対し、樹人は、改めてシモンとユウリを尊敬の眼差《まなざ》しで見つめる。

「やっぱり、すごいね、君たち。——特に、ユウリ。君、見た目は変わらないけど、なんか急成長しているよね」

しみじみと言われた言葉を、ユウリは「そうかな？」と謙遜《けんそん》しつつ、内心でとても嬉しく思った。

7

伊東佑介は、みなとみらい地区にある総合病院に入院していた。

翌日、ユウリたちが訪ねていくと、運よく、彼が意識を取り戻したところで、三人は途中で買ったフラワーアレンジメントを持って、病室に入った。

鼻を突く消毒薬の臭《にお》いと点滴器具。

心拍数を測定する機械が、ピ、ピ、と規則的な音をたてている。

ユウリは、病室に足を踏み入れる一瞬、覚悟を決めるように小さく深呼吸した。

病院ほど死と隣り合わせになっている場所はなく、常日頃、境界線の曖昧な時空に立っているユウリは、少々気合を入れて地に足をつけないと、ともすれば、向こう側に引きずり込まれそうになるのだ。

すると、それを察したわけではないだろうに、引き戸になっているドアを押さえてユウリたちを先に通したシモンが、いつもより距離を縮めて背後に立った。傍《はた》から見るだけではわからないくらいの些細《ささい》な違いであるが、強い生体エネルギーを持つシモンがすぐ近くにいるだけで、ユウリの浮遊しがちな心は安定する。

樹人が、ベッドの上で虚《うつ》ろな瞳を天井に向けている佑介に近づき、声をかけた。

その間、シモンとユウリは、病人をあまり刺激しないよう、ドアのそばで様子を見守ることにする。

「伊東くん」

樹人の声に、佑介が視線を動かして彼を見た。喉元《のどもと》に巻かれた真っ白い包帯が、なんとも痛々しい。

「伊東くん、気分は？」

「……あまり……よくない……かな」

「そっか」

痛ましそうに眉間にしわを寄せ、「それなら」と樹人は続ける。

「あまり長居をしない方がよさそうだね。――まあ、なんにせよ、無事で良かったよ。それで、これ、いちおうお見舞いなんだけど」

樹人は窓際にフラワーアレンジメントを置きながら言い、枕元《まくらもと》の椅子に座り込んで佑介の様子を窺う。

「大変だったね」

「ああ」

「アパートのことは、聞いた？」

「……アパート？」

「君のアパートが火事になったって」

とたん、ブルッと震えた佑介が、ギラギラ光る目を樹人に向ける。

「火事?」

「そう。放火だったみたいで、君は、外にいたおかげで助かったんだ」

だが、その言葉は、なんの慰めにもならなかったらしく、佑介が、大きく首を振って声を荒らげた。

「——もう、いいんだ。もう、俺には関係ない!」

「伊東くん?」

樹人が、目を見開いて尋ねる。

「君、本当に、そう思っている?」

「ああ、そうだ。俺には関係ない」

勝手に人にものを送りつけておいて「関係ない」というのは、いかにも無責任なことであるが、今の場合、所有権を放棄してくれるのは、ありがたいことだった。このあと、それをどうしようと、文句を言われる筋合いはないからだ。

「よかった。それなら」

ホッとしたように鞄から封の開いた白い封筒を取り出した樹人が、「これ——」と言いながら、佑介の前に差し出した。

「警察に渡してしまってもいいよね？」

とたん。

バシッと。

差し出された封筒を汚らわしそうに手で払い落とした佑介が、怒りを込めて罵《ののし》った。

「ふざけるな！　関係ないって言っただろう！」

「伊東くん？」

「俺は関係ない！　こんなもん、俺のものじゃない！　持って帰ってくれ！」

感情の高ぶりとともに、心拍数がどんどんあがっていく。それに合わせ、病室に響く機械音の間隔も、どんどん、どんどん、短くなる。

ピー、ピー、ピー、ピー、ピー。

その音に焦りを覚え、樹人の声も緊張を帯びる。

「伊東くん！　落ちついて！」

容態の急変を察したシモンが、身を翻して看護師を呼びに行く。

片や、ユウリはユウリでベッドに近づき、樹人の横から佑介をなだめにかかった。

「伊東くん、何も心配いらないよ。もう大丈夫だから、僕を見て、ほら、ゆっくり息をして」

「そうだよ、伊東くん。興奮したら駄目だ」

だが、二人の努力もむなしく、「うるさい！」と手を振り払った佑介が、吐き出すように叫んだ。

「いいから、それを持って帰れ、帰れ、帰れ!!」

叫び終わると、ふいに心臓を押さえてベッドの上に伏し、ぜえぜえと苦しそうな息をしながら、彼らに向かって訴える。

「頼むから、俺を放っておいて——！」

その時、廊下のほうからバタバタと足音が聞こえてきて、シモンに先導された看護師が一人、血相を変えて飛びこんできた。

「どうしました？」

「すみません。話していたら、急に興奮してきてしまって」

「伊東さん、大丈夫ですか、伊東さん？」

看護師が忙《せわ》しなく動き回り、新たに二人の人間が入ってくる。そのうちの一人が、威厳を込めて、ユウリたちに告げた。

「申し訳ありませんが、ご家族以外は、出てくれませんか？」

そこで、ユウリたちは、急いで病室を出た。

その後、面会謝絶となった伊東佑介と話せる機会はなく、諦めた彼らは、ほどなくして病院をあとにした。

どっちにしろ、今の佑介に、詳しい話を聞くのは無理であろう。

「結局、返せなかったなあ」

外に出たところで、樹人が途方に暮れたように呟いた。その手には、クシャクシャになった白い封筒が握られている。

強引に置いてくることもできたが、あんなに怯えている彼に押しつけるのは、樹人としては忍びなかったのだ。

そのあたり、彼も、たいがい人が好《よ》い。

「あの場合は仕方ないさ。それに、彼のほうで受け取りを拒否したわけだから、今後、樹人がそれをどうしようと、文句を言う権利はないはずだよ」

シモンの冷静な意見に、ユウリも同意する。

「僕も、そう思う」

「確かに、そうなんだけど、そうかといって、その辺に転がしておくわけにもいかないし、ホント、どうするかなあ……」

ほとほと困り果てたように言った樹人を同情的に見て、ユウリが静かに申し出た。

「それなら、僕が預かるよ」

「え？」

ユウリの言葉に、樹人だけでなく、シモンも少々驚いたようだ。だが、この展開は予想できなかったわけではないため、驚きはすぐに小さな溜め息へと変わる。

樹人が、戸惑ったようにユウリを見た。

「預かるって、そんなことをしたら、今度は君に害が及ぶかもしれない」

「大丈夫。いざとなったら警察に駆け込むし、相談に乗ってくれそうな刑事にも心当たりがあるんだ」

「本当に？」

「うん」

力を込めて頷くが、ユウリは、「ブラック・ウィドウ」が抱えている問題は、警察が解決できるような類《たぐ》いのものでないことを、初めからうっすらと感じ取っていた。

躊躇うようにユウリと白い封筒を見比べていた樹人が、ややあって、確認する。

「本当に、預けてしまっていいの？」

「もちろん。いいから、いいと言っているんだよ」

すると、心から安堵したように樹人が肩から力を抜いた。

「それなら、本当に頼んでしまおうかな。――でも、もし、このことで何か困ったことになったら」

だが、みなまで言わせず、ユウリが封筒を受け取りながら言い返す。

「大丈夫だって。それより、樹人のほうこそ、もし、このことで知らない誰かが何か言ってきたら、躊躇わずに、僕の連絡先を――」

するると、話しているユウリの横から、スッと名刺を差し出したシモンが、あとを引き取って告げた。

「誰かが何か言ってきたら、その名刺にある連絡先に連絡するように言うといい。僕の秘書が管理をしているメールアドレスで、面倒事は、適当に処理してくれるし、必要な情報は、僕のほうに通してくれる」

「秘書……」

それも、一介の学生には縁のない言葉だ。

両手で神妙に名刺を受け取った樹人が、なかば感心しつつ、確認する。

「だけど、会ったばかりの人にまで、こんな迷惑をかけるというのも……」

確かにそうだが、シモンは、それこそ慣れっこだった。これまでもそうしてきたつもりだし、この先もユウリの「宿命の友」を気取るなら、これくらいの面倒事は当然のこととして受け止める覚悟が必要だ。

「気にしなくていいよ。ユウリの大切な幼馴染みであれば、僕にとっても、大事な友人だからね。僕にできる範囲で守るよ」

「守る……」

その言葉を嚙みしめるように呟いた樹人が、ついに白い封筒とその中に入っている鍵を二人に引き渡した。

それから、ユウリと別れの挨拶《あいさつ》をしながら、もう一度、心から礼を言う。

「本当にありがとう、ユウリ。それと、シモンも。――どうか、気をつけて」

「樹人も、元気で」

「また、連絡するよ」

手を振り合って樹人と別れたところで、シモンが「さて」と告げた。

「それで、ユウリ、これからどうするつもりだい?」

だが、封筒から出した鍵を眺めていたユウリは、それを戻して封筒ごとポケットにしまいながら、なんとも頼りない答えを返した。

「そうだね。特に何も考えてはいなかったけど、とにかく、一度、『ブラック・ウィドウ』とやらをこの目で見てみないことには、なんとも言えない……かな?」

「まあ、そうか」

頼りなくはあるが、言っていることは間違っていないので、シモンも同意する。

「それなら、今からその銀行に――」

シモンが言いかけた時だ。

その場に、軽快な着信音が鳴り響いた。

とっさにシモンが自分のスマートフォンを取り出してから首を振り、ユウリも自分の携帯電話を確認し、首を傾《かし》げた。

どちらの電話も、鳴っていなかったからだ。

だが、その場にはユウリとシモンしかおらず、着信音はいまだ鳴り続けている。

両手を開いたシモンが、「もしかして、ユウリ」と顎《あご》でユウリのほうを示し、一つの可能性を示唆した。

「例の、もう一つのほうじゃなく？」

「例の、もう一つのほう？」

一瞬、言われた意味がわからなかったユウリであったが、すぐに「あ」と気づいて、慌てて上着のポケットを探る。

ようやく取り出したスマートフォンは、まだ着信音を響かせたままだ。その音が、やけに苛立たしげに聞こえるのは、もちろん、ユウリの思い込みであろう。

「もしもし？」

電話に出たユウリに対し、相手の言葉はたった一言。

『――処分しろ』

「え？」

挨拶の言葉もない。話している相手を確認するでもない端的すぎる会話に、意表をつかれたユウリが、遅ればせながら問いかける。

「──あの、アシュレイ？」

だが、無情にも通話はすでに途絶えていて、手の中のスマートフォンは、今はひたすら沈黙を守っていた。

「うそ。アシュレイ？」

もう一度呼びかけるが、結果は同じだ。

沈黙。

切られたのだ。

ユウリが、呆然《ぼうぜん》と立ち尽くす。

たったあれだけの会話で、何をわかれというのか。一を聞いて十を知るというが、コンマ何秒かでわかることなど、ほとんどあるわけがない。

そもそも、会話にすらなっていない。

見かねたシモンが、ユウリの手からスマートフォンを取り上げ、画面をいくつか確認したあと、それをユウリに返しながら告げた。

「確かに、通話は終わっているね。──それで、アシュレイは、なんて？」

「えっと、……処分しろって」

「処分？」

水色の瞳を細めて繰り返したシモンが、尋ねる。

続ける。

「何を？」

「何も。それだけ言って、切れたんだ」

徐々に衝撃から回復してきたらしいユウリが、返されたスマートフォンをしまいながら続ける。

その際、ちらっと見えた待ち受け画面には、「Ｇｏ！　Ｆｏｒ　ｉｔ」の文字が躍り、その間をカタカナで書かれた「マヌケ」という文字が、回転しながら動いていた。わざわざ作ったのであれば、ご苦労様なことである。

「たぶん、タイミングからして、『ブラック・ウィドウ』のことだとは思うけど、それならそれで、どこかでずっと監視していたということになる」

アシュレイならそれくらい朝飯前にやりかねないが、現実問題としてかなり不気味だ。

シモンが額に手をやって考え込む。ここは、慎重にならざるを得ない場面だと思ったからだ。

正直、シモンが最も警戒するのは、元上級生の抗《あらが》いがたい悪の魅力ではなく、アシュレイという人間がオカルトに造詣《ぞうけい》が深いがゆえに、ユウリの特殊な能力を利用し、自分の興味が向くままに向こう側の世界に関わろうとすることだった。

その過程で多少ユウリに危険が及ぶことなど、彼にとっては想定内だ。命があれば、それでいい。

だから、シモンとしては、どうあってもユウリとは関わってほしくない。

それなのに、ことあるごとに、こうして彼らのまわりに出没する。

しかも、ほとんどの場合、彼らの二歩も三歩も先を行くため、ユウリたちは、ただただ振り回されるしかなかった。

そういうアシュレイからの連絡であれば、二人が動揺するのも当然だ。

シモンが、無念そうにぼやく。

「やっぱり、三枚では全然足りなかったな」

葛原岡《くずはらおか》神社の「魔去ル石」でのことを言っているのだろう。ユウリは、「そうだね」と言って苦笑しつつ、そっと周囲を見回す。

つられて首を巡らせたシモンであったが、ある場所まで来たところで、澄んだ水色の瞳が訝《いぶか》しげに細められた。

ややあって、小声でユウリに告げる。

「……どうやら、僕たちを監視しているのは、アシュレイ一人ではないみたいだ」

「どうして」

そんなことがわかるのか。

そう思ったユウリをその場に残し、シモンは、柱の陰にサッと身を寄せた男のほうに向かってつかつかと歩み寄っていく。

歩きながら、問いかけた。

「このところ、ずっとついて回っているようですが、いい加減、正体を現したらどうなんです？」

すると、わずかな間のあと、観念したように男が姿を現した。

それなりに恰幅《かっぷく》のいい美丈夫《びじょうぶ》だ。

午後の陽《ひ》にさらされた男の顔を見たユウリが、「あれ？」と意外そうな声をあげた。

「もしかして、貴方《あなた》は――」

ユウリが驚くのも無理はない。

なぜと言って、それは、数日前、横浜の中華街で出会いがしらにぶつかった男だったからだ。

だが、どうして、彼がユウリたちの跡をつけていたのか。

見つかったわりに悪びれていない男が、「へえ」と嬉しそうに笑顔を見せた。

「覚えていてくれたのか。それは光栄」

それに対し、社交性を脱ぎ捨てたように冷ややかな態度になったシモンが、「それで」と見知らぬ男に向かって問いかける。

「そちらの目的は？」

そんなシモンをつまらなそうに見て、男は「別に」と言い訳する。

「あんたたちをつけ回したかったわけではない。——ただ、俺たちが追い求めているもののそばに、あんたたちがいるだけで」

「つまり」

シモンが、首を傾げて男を見すえる。

「貴方の目的も、『ブラック・ウィドウ』にあると？」

「というか、その『ブラック・ウィドウ』とやらが貼られた封筒にね。——なんといっても、あれは、俺たち——正確に言うと、俺の相方の監視下にあったものだから」

「相方？」

「そう」

頷いた男が、「ということで」とパンと打ち合わせた手を揉《も》み手《で》にして、陽気に誘いかける。

「俺の相方があんたたちに会いたがっているんで、一緒に来てくれないか？」

「一緒にって……？」

「どこへ？」

口々に言った二人を眺めやり、男は端的に答えた。

「駐車場。——そこに、俺たちの車が停《と》めてあるから、その中で話せばいい。たいしたもてなしはできないが、そこなら、よけいな人間に聞かれる心配もないし、なんなら、あとで好きなところに送ってやる」

あまりにてらいのない誘いに対し、つい気の抜けたシモンとユウリが顔を見合わせて互いの意思を確認し合う。

気が抜けたといっても、シモンは、まだ完全には警戒心を解いていなかったが、ユウリのほうは、目の前の男が、それなりの思惑はあっても、決して悪人には見えなかったので、シモンに向かって頷きかけ、同道をすることを勧めた。

そこで、シモンが決断する。

「いいでしょう。貴方の相方とやらに、会わせてもらいます」

「はん。そうこなくっちゃ」

第三章　永遠なるブラック・ウィドウ

1

駐車場に停《と》められていたのは、小型のリムジンだった。

ユウリが、ちょっと不思議そうに煙《けぶ》るような漆黒《しっこく》の瞳《ひとみ》を揺らめかせる。

もし、これが彼らの日常でふつうに使われているものなら、この男に対する認識を改める必要があるだろう。

だが、男は、二人の反応を見て説明を加えた。

「さっきは、『俺たちの車』と言ったが、正確には、相方の家が所有する車だ。当然、ふだんは、もっと実用性の高い車に乗っている。ちなみに、運転手も彼の家の者だから、安心していい。——ここで話された秘密は、決して外に漏れない」

そんな保証をされるが、彼や彼の相方や運転手には、こちらの秘密が漏れることに変わりはない。さらに言えば、彼らが、今日初めて会う人間であるのも、紛れもない事実だった。

それなのに、何をもって「安心しろ」などと言う気なのか――。

顔を見合わせたユウリとシモンは、どちらからともなく肩をすくめると、運転手が開けてくれたドアから、車内に身を滑り込ませた。

彼らを待っていたのは、日本人にしては色素の薄い涼しげな青年だった。

しかも、思ったより若い。

ここまで彼らを案内してきた男よりは、二つ、三つ若そうである。へたをすれば、まだ学生かもしれない。

少なくとも、どこか浮き世離れしている様子が、ふつうの社会人とは違って見えた。

そして、ユウリは、彼を見た瞬間、なぜか懐かしさを覚える。

かといって、会ったことはなかったはずだ。この手の印象の男であれば、さすがのユウリも、一度会ったら忘れない自信がある。

「初めまして」

二人が乗り込んだところで、相手がすかさず挨拶《あいさつ》する。

色素が薄いわりに着物が似合いそうな姿形をしていて、一言で言うと「風雅」という言葉が似合う青年であった。

「桃里《とうり》馨《かおる》といいます。友人が、失礼な態度を取っていないといいんですが」

それに対し、あとから乗り込んだ男が、ジロッと相方を睨《にら》んでから座り込む。

だが、ユウリは、二人のそんなやりとりを気にするどころではなく、「桃里？」と驚いたように繰り返し、相手の顔を穴があくほど見つめた。

「桃里って、もしかして、『桃』に『里』と書く、桃里ですか？」

「ええ」

すると、こんな場合でも高雅さを失わないシモンが、ユウリをチラッと見て尋ねた。

「知っているのかい？」

「うん」

ユウリは、自分でもそのことを驚いているかのように続ける。

「会うのは初めてだけど、名前だけは聞いている。――確か、幸徳井《かでい》家の分家で、関東以北を守っている家筋のはず」

そこで、シモンが目の前の男に視線を移すと、彼は、なんとも謎《なぞ》めいた微笑を口元に浮かべて、「よかった」と応じた。

「ご存じであるなら、詳しい話をする手間が省けそうですね。――それにしても、驚きましたよ。ひょっこり現れた君が、幸徳井隆聖の従兄弟《いとこ》だったとは」

名前のあがった「幸徳井隆聖《りゅうせい》」というのは、桃里が言ったようにユウリの従兄弟で、幸徳井家は母方の実家に当たる。

千年の都、京都に連綿と続く陰陽道《おんみょうどう》宗家である幸徳井家の直系長子として生まれた隆聖は、まだ三十歳にも満たない年齢でありながら、その群を抜いた霊能力ゆえに、次期宗主として、配下の人間から絶対的な信頼と崇拝を寄せられている人物だった。

だが、そんな隆聖の名前を口にした際、相手の口調に、どこか皮肉っぽい響きがあったことに、ユウリは気づいた。

いったい、彼と隆聖の間には、どんなしがらみがあるのか。

ユウリが、相手の言葉に答えて言う。

「僕は、ユウリ・フォーダムです。こっちは、友人の、シモン・ド・ベルジュ」

「知っていますよ。いちおう、いろいろと調べさせてもらいましたから」

「調べたというのは」

シモンが、淡々と質問する。

「僕たちが、そちらの監視下にある封筒のまわりをうろついていたからですか？」

「ええ、そうです。私たちが、最初にマークしていたのは、どういう経緯でか、急にあの封筒を手に入れた伊東佑介《いとうゆうすけ》だったのですが、あれよあれよという間に、突然現れた貴方《あなた》たちの手に移ってしまったわけですから、正直、見事としか言いようがありませんよ」

ユウリが反論する。

「でも、別に、進んで手に入れようとしたわけでは」

「もちろん、そうなんでしょうが、でも、だとしたら、どうしてこういう展開になっているのか、監視役の私としては、かなり興味があるわけです」

「監視役ねえ」

動き出した車が、どこに向かっているかわからないまま、シモンが尋ねる。

「先ほど、あちらの彼も言っていましたが――」

すると、話の腰を折る形で、桃里が申し出る。

「そういえば、彼の紹介がまだでしたが、今、ここで紹介しましょうか？」

そこで、服のしわを伸ばしながら身体《からだ》を起こした男の前で、シモンがあっさり断った。

「いえ。大丈夫です。それより、質問の続きですが」

無視された形の男が、ふてくされたようにふたたび座席に沈み込む。

それを気の毒そうに見やったユウリは、シモンが、彼らに対し、まだ警戒心を解いていないことに驚いていた。少なくとも、彼らと友好的な関係になろうとは、これっぽっちも思っていないらしい。

そういう時にシモンが示す態度は、最低限の礼儀だけで、あとは氷のように冷たい。

どんな時でも、シモンから温かく、時に滾《たぎ》るほどの愛情を注がれているユウリにしてみれば、もし、こんな態度のシモンと接した場合、きっと、その場で首をくくって死にたくなるに違いないと思う。

シモンが、冷徹な貴公子としての態度を崩さないまま、桃里に尋ねた。

「監視役というのは、どういうことなんでしょう？　何を、監視していると」

「それは」

言いながら、チラッとユウリに視線を流した桃里が、「たぶん」と続ける。

「実物を見れば、彼ならわかると思いますが、あの封筒は、私たちの監視を必要とするものなんです。本来、処分してしまうのがベストなのでしょうが、それができずに、長いこと封印され、こちらの監視下にあった――」

「監視下というのは、『霊的』に？」

桃里家が幸徳井家の分家であるなら、桃里馨は、当然、幸徳井隆聖と同じ種類の人間であるはずだ。

シモンの直截《ちょくせつ》な指摘を否定せず、桃里が認める。

「そうです」

「つまり、今、問題となっている封筒には、コレクションとしての価値とは別に、霊的な監視が必要となる何かがあると？」

「ええ」

そこで、シモンがユウリを見る。今の話を聞いてもまったく驚いていないところをみると、やはり、ユウリは、具体的な状況がわからないうちから、問題の封筒の本質に気づいていたのだろう。だからこそ、必要以上に篠原樹人の身の上を案じていたのだし、行き場を失くした封筒を引き取ると言い出したのだ。

シモン自身、ユウリの言動から判断して、そうではないかと予想していたが、ここに来てはっきりした。

それを思えば、先ほど、アシュレイから訳のわからない連絡が来たのも頷《うなず》ける。

納得したシモンが、尋ねる。

「そういうことでしたら、それらを踏まえたうえで、僕たちは、現在、どこに向かっているんです？」

「この近くの銀行です。伊東佑介が、つい最近、そこの貸し金庫を借りたのはわかっています。当然、みんなが狙《ねら》っている封筒を隠すためでしょう。そして、その鍵《かぎ》は、今、貴方たちが持っているのですよね？」

シモンに代わって、ユウリが答える。

「持っています」

「それなら、まず、そこにあるのが、本物の封筒であるかどうかを確認し、そのあと、それをどうするか決めましょう」

「……どうするか決めるというのは？」

ユウリの質問に対し、なんとも複雑そうに眉《まゆ》をひそめた桃里が、「それは、さっきも言ったように」と応じる。

「問題となっている封筒は、処分してしまうのがいちばんいいのでしょうが、残念ながら、桃里家の知識では処分しきれそうになく、一度、本家のほうに相談したことがあるようなんです」

「本家って、幸徳井家ですか？」

「ええ。──とはいっても、私たちが生まれるずっと前の話で、おそらく戦後すぐのことだと思いますが」

ユウリが、驚いて尋ねた。

「そんなに前から、関《かか》わっているんですか？」

「桃里家が、あの封筒と関わりを持ったのは、記録によると明治時代です」

「明治時代？」

それは、思っていた以上に昔の話で、ユウリはゆるゆると首を振る。

「明治時代には、もう桃里家は存在していたんですか？」

「もちろん。──ああ、ちょうどいいので、少し桃里家の話をしましょうか」

そんなコメントをして、風雅な青年は話を脱線させた。

「明治時代といえば、国家の弾圧を受けて幸徳井家が衰退しかけた頃で、このままでは古《いにしえ》より続く秘法のすべてが失われると判断した本家は、密《ひそ》かに奥義書の類《たぐ》いを運び出し、桃里家に預けたんです。そして、桃里家は、横浜の居留地に隠れ潜んで、なんとかそれを守り抜いた。以来、表の幸徳井に対し、裏の幸徳井として、桃里家が関東以北の守りを任されるようになったわけですが、そんな中、桃里家が懇意《こんい》にしていた居留地の骨董《こっとう》屋から相談を受けたのが、問題の封筒についてでした」

「居留地――」

それは、まさに明治の香りがする、開港地横浜を彷彿《ほうふつ》とさせる言葉だった。

桃里が続ける。

「ご先祖さまの日誌によると、どうやら居留地にあった『時韻堂《じいんどう》』という名の骨董屋の主人と、かなり親しくしていたようで、その骨董屋の主人が、居留地の外国人から助けを求められ、それを、当時、桃里家の当主であった桃里元春《もとはる》に相談したのが始まりのようです」

「『時韻堂』か」

呟《つぶや》いたユウリであるが、特にコメントはせず、静かに話を聞く。

「では、どんな相談であったか。――さすがに、詳しいことまではわかりませんが、どうやら、当時の英国海軍士官に対し、母国にいる人間から呪詛《じゅそ》の込められた封書が送られてきたらしく、それが、思いの外、力の強いものであったため、桃里元春は、処分するのを諦め、聖書に封印して居留地にあった教会で預かってもらうことにしたようなんです」

「教会……？」

ということは、それは、教会の権威のもとに効力を失う何かである可能性が高い。

桃里が、「ただ」と言う。

「そのせいかどうか、関東大震災と横浜大空襲で、その教会は二度とも壊滅的な被害を受け、そのたびに、新しい建物に建て替えられたんです。そこで、二度目の建て替えの際には、地下に秘密の部室を造り、そこに聖書ごと封じたのですが、数年前、その地下室を見つけた信徒によって、ついに封印が破られ、呪詛の込められた封書――あるいは封筒は、桃里家の管理下から外れてしまいました」

「外れたということは、それは、抑制を逃れて動き回っていると？」

「わかりませんが、封印が破られたのは、間違いありません。ただ、その時に、大きな火災があって、一時、その封筒は焼失したものと判断されたのですが、最近になって、突如、ネット・オークションに出品されたので、驚きました。おそらく、驚いたのは、僕たちだけではないでしょう。それで、慌てて出品者を調べ、接触する機会を狙っていたら――」

シモンが、あとを引き取る。

「僕たちが現れた」

「そうですね」

桃里が、「もっとも」と続ける。

「現れたのは、お二人だけではありませんが」

「というと?」

「他《ほか》にも、怪しげな人間が、ちらほらと」

桃里が、端のほうで静かにしている相方と、意味深長な視線をかわし合う。

「でも、怪しいと言っても、お二人以外は、ただの切手『蒐集家《コレクター》』ですよね?」

シモンの確認に対し、桃里が疑わしげに首を傾《かし》げた。

「それならいいんですが、どうも、そうではなさそうな気がしています」

「つまり、『ブラック・ウィドウ』ではなく、それに伴う付加価値のほうを狙っている人間が、お二人の他にもいるということですか?」

「そうですね」

「だけど、それなら、その付加価値というのは……」

「さあ。それがわかれば、おそらく、あの封筒の処分も可能になるのでしょうけど」

桃里が、残念そうに告げたところでリムジンが止まり、彼らは、JR桜木町《さくらぎちょう》駅の近くに堂々とした本社ビルを構える地方銀行の前に着いた。

2

その銀行の貸し金庫は、完全自動となっている個室での操作が可能だった。

狭い部屋に置かれた機械式金庫の前で、磁気カードを読み取り機に通して暗証番号を入力すると、その場に自動的に箱が運ばれてくるという仕組みになっている。その後、運ばれてきた箱を鍵で開ける。

やり方を理解したユウリたちも、同封されていた磁気カードを通し、暗証番号を打ち込んで、少し待つ。

すると、ほどなくして目の前の機械の中に箱が現れ、外扉が開いた。

あとは、取り出した箱を鍵を使って開けるだけだったが、箱に手をやった際、ユウリは外部が妙に熱を持っているのが気になった。

（熱い……？）

思いながらも鍵を回し、蓋《ふた》を開ける。

中には、年代を感じさせる少し煤《すす》けた封筒が入っていて、手に取ったユウリは、熱気の正体がその封筒にあるのを感じ取る。

（火……）

気にしつつ、慎重に封蠟《ふうろう》の施された封筒を開ける。

まず目に入ったのは、封筒の内側に描かれたなにかの記号の一部だった。

それを見たユウリの脳裏に、子どもの落書きのような記号の渦と、その向こう側で輝く紅蓮《ぐれん》の炎が流れ込んでくる。

その炎の中では、蛇の尻尾のようなものがとぐろを巻いていて、それがゆっくりと鎌首をもたげる。

なにかが、こちらに向かって押し寄せようとしていた。

(——まずい!)

気づいた時は、遅かった。

ブワッと。

手にした封筒から真っ赤な炎が噴き上がり、封筒を持っていたユウリと隣で見ていたシモンを目がけて襲いかかってくる。

ユウリが、左手を前に翳《かざ》しながら、とっさに右手でシモンを押しのける。

すると、ユウリの左手を包みこんだ炎が、左手首にあった何かに弾《はじ》かれたようにバチッと衝撃波をあげて霧散《むさん》した。傍目《はため》には見えないが、ユウリの左手首には、月の女神が授けた「グナ」と呼ばれる三色の糸を縒《よ》り合《あ》わせた腕輪がはまっていて、それが、間一髪のところで、魔の攻撃を防いだのだ。

おかげで大惨事は免れたが、袖《そで》まで達していた炎が、ユウリの服を焦がして燃え上がった。

頭上で、火災報知機が鳴り出す。

「ユウリ！」

叫んだシモンが、ユウリの身体《からだ》に手をかける。

ほぼ同時に、桃里の相方も手を伸ばしていて、二人してユウリからTシャツの上に着ていたシャツを引っぺがした。

その勢いのまま、シモンはユウリを腕に抱え込み、桃里の相方が、燃え上がるシャツを床に叩《たた》き落《お》として足で踏みつける。

その間、桃里はといえば、懐から取り出した紙切れを指先に挟み、口中で短く神呪《しんじゅ》を唱えてから、それを箱の中に落ちた封筒の上に置いて急場の封印を施した。

その紙切れは、桃里家に伝わる「神符」と呼ばれる封印の一つで、表面に、デザイン化された絵のような奇妙な記号が墨で描いてあった。

「神火清明《しんかせいめい》、神水清明《しんすい》、神風清明《しんぷう》！」

唱えながら、桃里が「神符」の上で手刀を切ると、封筒の隙間でチラチラとオレンジ色の舌を出していた炎が、シュッと吹き消されたように鎮《しず》まった。

まさに、一瞬の出来事である。

ひとまず、危険は去ったが、頭上では、いまだ火災報知機が鳴り響いていて、現実的な問題は立《た》ち塞《ふさ》がったままだ。

それを含め、このあと、どうするか。

服に燃え移った火を消し止めた桃里の相方が、ユウリに向かって問いかける。

「ケガはないか？」

「――はい。大丈夫です」

安心したように頷いた彼は、自分の相方を振り返って尋ねる。

「それで、馨、今のって」

だが、桃里は答えず、ユウリとシモンを見て告げる。

「どうやら、説明する手間が省けたようですね」

それに対し、シモンの腕の中で、ユウリが応じた。

「つまり、これが？」

「ええ。僕も、初めてお目にかかりますが、問題の封筒でしょう。そして、ご承知いただけたと思いますが、これゆえ、封印が必要となるわけです。記録によれば、どのタイミングで火があがるかは皆目わからず、まるで封筒そのものに悪の意志が宿っているかのようだということでした」

「――なるほど」

確かに、かなり悪質なものであるらしい。

改めて箱の中を覗《のぞ》けば、まわりが焦げついているというのに、肝心の封筒は、まったく燃えずにそこに残っていた。

と、そこへ。

血相を変えて飛びこんできた警備員が、彼らに向かって事情を問《と》い質《ただ》す。

「いったい、何があったんです？」

「わかりませんが、封筒を開けたら、炎が燃え広がったんですよ」

桃里の返答に、相手の眉間《みけん》にしわが寄る。

「ですが、なぜ、そんなことが？」

「それは、こちらが訊《き》きたいです。封筒を開けたら、炎が立ち上ったんですから」

同じことを繰り返した桃里の説明に、横から、シモンがもっともらしく付け足した。

「もしかして、封筒のまわりに可燃性のガスでも充満していたんですかね。それが、空気に触れたことで、燃え広がった」

「――ああ」

少しは納得したらしい警備員が、「でも」と詰問する。

「着火装置なんて、持ち合わせていませんよね？」

「確かに、そうですね」

そこで、ユウリが申し出る。

「……あの」

「なんですか?」

警備員の視線を浴び、ユウリがどぎまぎしながら続けた。

「実は、封筒を開けたのは僕なんですが、もしかしたら、火がついたのは、静電気のせいかもしれません。開ける前に、バチッって、例のイヤな感じがあったので」

「——静電気?」

警備員が意外そうに繰り返したあと、「なるほど」と、今度は深く同意する。

冗談を言っているように聞こえるが、実際、静電気が火災の原因になる可能性があるという話を、彼は、何かの番組で見たことがあった。

だが、百歩譲って、着火の原因がそうだったとしても、本来、そこにあるべきではない可燃性のガスというのは、なんなのか。

「失礼ですが、貸し金庫に預けていたのは、その封筒だけですか?」

警備員の質問に対し、顔を見合わせた彼らの中から、代表してシモンが答える。

「はい」

「本当に?」

そんなもの、貸し金庫に預ける意味があるのかと疑う相手に、シモンが説明を加えた。

「もちろん、貸し金庫に預けるほど価値があるのは、封筒そのものではなく、貼《は》られている切手のほうです」

「……ああ、切手ね」

ようやく納得した相手が、「でも」と続けた。

「それで、なんで可燃性のガスが……」

「それは、僕たちにもわかりませんが、――なんといっても、僕たちは被害者なわけですから」

「被害者」という言葉を強調してから、シモンは話を進める。

「一つ考えられることとして、燐《りん》なりなんなり、古紙やインクに含まれたなんらかの成分が、箱の材質の何かと化学反応を起こして、少しずつ可燃性のガスを溜めこんでいたということはありうるでしょう。――ただ、量として、ごくわずかだったため、一瞬で燃え尽きて鎮火した」

その説明はとても理に適《かな》っていてわかりやすく、また知的で高雅なシモンの口から語られたことで、より信憑《しんぴょう》性が増したようで、知らせを聞いて集まってきた行員たちも、あっさり説得されてしまった。

一つには、貸し金庫に預けたものが、本当に古い封筒だけだったこと。

また、防犯カメラに映っていた映像が、彼らの説明を裏づけ、彼らの行動になんら不審な点がなかったことなどから、警察や消防への通報は見送られ、ことは穏便に片づけられることとなった。

それでも、事情を聴くために場所を変え、長く足止めをされてしまった彼らが、ようやく解放されたのは、午後もだいぶ過ぎてからのことだった。

彼らは、行内の廊下《ろうか》を歩きながら、今後の予定を話し合う。

「さて」

桃里が言った。

「一つ、相談があるのですが」

だが、歩きながら、何げなくユウリの剝《む》き出《だ》しとなった左腕を見た桃里の相方が、眉をひそめて、口をはさんだ。

「――おい、君。それは?」

言葉と同時に指し示され、全員の視線がユウリの腕に集中する。

そこに、先ほどまではなかったものが、あった。

まるで蛇《へび》が這《は》いずったような紐《ひも》状のあとが、ユウリの手首から肩先にかけて斜めに巻きつくように赤く浮かびあがっている。

「あれ、なんだろう?」

びっくりしたように自分の腕を見おろすユウリの手を摑《つか》んで引き寄せ、シモンが、厭《いと》わしそうに検分する。

「火傷《やけど》？」

「かもしれないね。――でも、痛くないから」

実は、少しひりひりしていたが、それを言うと、大事になる気がしたのだ。

だが、シモンには、そんな遠慮は通用しない。

「そういう問題じゃないよ。そもそも、原因だってよくわからないのだし」

「それはそうだけど、だとしたら、医者に見せてもしかたなくない？」

「そんなの、見せてみないことにはわからない」

すると、黙ったままだった桃里がスッとユウリのそばに寄り、シモンが掴んでいるユウリの左腕に手を伸ばすと、ポケットから取り出した小瓶《こびん》の中の水を振りかけた。

振りまきながら、口中で唱える。

「猿沢《さるさわ》の池の水を手向けたる、腫《は》れず痛まずあとつかず。――アビラウンケンソワカ」

それから、腰を折って腕に唇を近づけ、フッと息を吹きかけた。

と。

なんとも不思議なことに、桃里の息がかかった瞬間、それまで赤く腫れあがっていた場所の赤みが薄らぎ、痛みも徐々に引いていった。

「大丈夫。これで、問題ないはずです」

手を離した桃里に言われ、驚きに目を見開いていたユウリが、腕をあちこち見ながら礼を述べた。

「本当だ。治っている。——ありがとうございます」

「どういたしまして」

肩をすくめて元の位置に戻った桃里が、再度「さて」とその場を仕切り直す。

「さっきも言ったように、今後のご相談ですが、まず、お二人にも、もうこの封筒がどんなものであるかは、おわかりになったと思います」

桃里の言葉に、まだ無意識に左腕を触っていたユウリが、顔をあげて訊き返した。

「つまり、のべつまくなしに、火災を起こす？」

「それは、正直、わかりません。教会で封印されていた間は、特にそういった怪奇現象は報告されていませんから。——ただ、数年前、教会が火事になって、この封筒も燃えたとされた事件で亡くなった信徒さんは、海外からの留学生だったのですが、右腕に、奇妙な入れ墨が残っていたと聞いています」

「入れ墨？」

シモンが訊き返すと、桃里は、持っていた古い封筒を裏返し、そこに書かれた差出人の名前のところを示して言う。

「もちろん、実際に死体を見せてもらったわけではないので、断言はできかねますが、間

延びした『P』の下部に『S』を絡めたような模様と聞いているので、おそらく、これと同じようなものだったのではないかと」

シモンとユウリが裏返された封筒を覗《のぞ》き込《こ》むと、そこには、確かに、そんな記号が描かれている。

シモンが、差出人の名前を読みあげた。

「……エリュ・コーエン？」

「そうですね。個人名なのか、団体名なのか。ちなみに、宛名《あてな》にあるのは、当時、英国海軍士官だった、F・ブライアンです」

そこで、封筒を顔の高さに掲げた桃里が、「ということで」と結論を急いだ。

「前にもお話ししたように、この手紙に込められた呪《のろ》いの種類がわからないからこそ、桃里家は、これを処分できず、こうして封印を続けています。だから、もし、そちらで処分できるというのであれば、これを預けますし、無理だというなら、今後も、桃里家のほうで責任を持って封印していきます」

最後に、桃里はユウリを見つめて、確認する。

「どうしますか？」

「……処分」

ユウリが、考え込む。

当然、今のままでは、ユウリにも「処分できる」と断言はできない。

だが、彼の知り合いに、できる可能性を秘めた人間がいるのは、確かだった。

あの時、電話口で、アシュレイが何をもって「処分しろ」と言ったのかはわからないが、彼がそう言うからには、なにかしら目算があるはずだ。

つまり、すべては、アシュレイにかかっているわけだが——。

問題が、一つ。

はたして、彼は、今、どこにいるのか。

（まだ、日本にいるのかな……？）

ユウリが、思いを馳《は》せていると——。

絶妙のタイミングで、その場に着信音が鳴り響いた。

ユウリを除く全員が、すぐさま自分のスマートフォンを確認し、最後に、ユウリに視線が集まる。

「——え？　——僕？」

考え事をしていたため、一人遅れて身体のあちこちを触ったユウリが、自分の携帯電話ではなく、もう一つのスマートフォンを取り出し、焦りながら電話に出た。

「もしもし、アシュレイ？」

ちょうどよかったと続けようとしたユウリに対し、アシュレイがえらく不機嫌《ふきげん》な声音で告げる。

『だから、再三言っているだろう。出るのが遅い！』

「そんな」

約束もしていないのに、「遅い」と怒られるのは腑《ふ》に落ちないが、今は、この電話が唯一の頼みの綱であるため、しかたなく譲歩する。

「えっと、すみません。――それで、アシュレイ。アシュレイって、まだ日本にいるんですか？」

だが、それには答えず、アシュレイは文句の続きを言った。

『言っておくが、お前たちがそこでちんたらしているから、奴《やつ》らに囲まれたぞ』

「……奴ら？」

『欲しいもののためなら手段を選ばないという極悪非道の奴らだよ。お前たち、とんだお宝を手に入れただろう？』

ユウリが、「やっぱり」と納得する。

「それなら、アシュレイが、この前、『処分しろ』と言ったのは、この封筒のことで合っているんですね？」

『それ以外に、何がある？』

「ありませんけど」

ユウリが答えると、アシュレイが、おかしな指示を出した。

『いいから、ちょっとスマホの角度をあげてみろ』

「え、スマホの角度？」

不思議に思いながら、ユウリが「こうですか？」と手にしたスマートフォンの角度をあげると、ややあってアシュレイが、『なるほど』と言ってふたたび話し出す。しかも、いつの間にかスピーカーに切り替わっていたようで、その高飛車《たかびしゃ》で皮肉げな声は、ユウリ以外の人間にも届いた。

『フランスのお貴族サマはともかく、どうやら、そこには、幸徳井の子飼いも一緒にいるようだな』

ここにいないにもかかわらず、その場にいる人間を把握《はあく》した発言だ。

当然、ユウリの今しがたの行為が、それを可能にしたのだろう。スマートフォンの写真や動画の機能が撮影モードに切り替わっているはずだ。

それにしても、勝手にスピーカーにしたり、勝手に画像を見たり写真を撮ったりと、遠隔操作でやりたい放題である。

アシュレイの嫌味な発言に対し、桃里の眉間にしわが寄り、冷めた視線をスマートフォンに向ける。

そのテンションで、不機嫌そうに尋ねた。

「……誰です？」

顎《あご》でスマートフォンを示しての質問に、シモンがつまらなそうに答えた。

「今の発言でわかるとおり、ただの鼻つまみ者ですよ。彼の暴言は聞き流してください。ただ、残念ながら、その知識だけは傾聴に値します」

するとスピーカーを通じてアシュレイが威嚇してくる。

『聞こえていると知っていて、言っているんだろうな、ベルジュ？』

「もちろんです。根が正直なものですから」

さらりと応じたシモンが、「それで？」と尋ねる。

「そちらの用件は？」

『お前たちが、今、土下座《どげざ》をしてでも俺に頼みたいことだよ』

「土下座って――」

屈辱的な言葉に、当然、三人は色めき立つが、一人、顔を輝かせたユウリが食いつくように訊いた。

「つまり、アシュレイなら、アレを処分できるんですね？」

とたん、アシュレイが諭すように『だ、か、ら』と返す。

『耳でタコが泳ぎ回れるくらい、何度も言っているだろう。俺に対して、可能、不可能を問うのではなく』

「やるか、やらないかを問うんでしたね。すみません」

謝ったユウリが、言い直す。これほど傲慢《ごうまん》な男に対し、ここまでまっすぐでいられるというのは、ほとんど奇跡と言っていい。

「それなら、アシュレイ、僕たちに協力してくれるんですか？」

なんとも素直な問いかけに対し、アシュレイもごねるのをやめて受け入れる。

『いいだろう。──その代わり、幸徳井の子飼いにも協力してもらうぞ』

それに対し、いかがわしそうに薄茶色の瞳を細めた桃里が、相方と顔を見合わせてから問い返した。

「協力？」

『ああ。あんたたちには、今から囮《おとり》になってもらう』

「囮……」

困惑する桃里の横から、ユウリが訊いた。

「でも、アシュレイ。そんなことを言って、アシュレイ自身は、今、どこにいるんです？

──日本？」

『そうだ』

「もしかして、まだ横浜に？」

『地下駐車場』

「え？」

一瞬、意味を取り損なったユウリが間抜けな声をあげると、眉根を寄せた顔を想像できるような声音になったアシュレイが、『だから』と繰り返す。

『お前たちが、今、つっ立っている建物の真下だよ。そこの駐車場にいる。わかったら、つべこべ言わずに、とっとと降りてこい』

次いで、アシュレイが出した指示に従い、彼らは動き出した。

3

十分後。

銀行の正面玄関を出た桃里と相方は、外に出たところで立ち止まり、まるで中から他に人が出てくるのを待つような様子で、その場に立ち尽くした。

その状態で、桃里が小声で文句を言う。

「——あの男、よりにもよって、僕のことを『幸徳井の子飼い』扱いしましたね」

「まあ、そう怒るな」

なだめられるが、まったく効果がなかったらしく、桃里がジロッと自分より背の高い相方を見あげる。

「これが、怒らないでいられると思いますか？　——『子飼い』ですよ？」

「気持ちはわからないでもないが、現実に見たことも会ったこともない相手が言ったことなんて、言わなかったも同然だろう。ネットと同じで、虚構だ、虚構」

「——それって、どんな理屈です」

呆《あき》れ返《かえ》って応じた桃里が、小さく溜め息をつく。

「でもまあ、ああして、幸徳井家の隠し球にも会えたことですから、今回はこれで良しとするしかないか」

相方が、意外そうに桃里を見おろす。

「——隠し球？」

「ええ」

頷いた桃里は、目の前の建物のどこかにいるユウリの姿を思い浮かべながら、口元に謎めいた微笑を浮かべて続けた。

「以前から噂《うわさ》になっていたんですけど、幸徳井隆聖が、あの若さであれほど泰然としていられるのは、手の内に、とんでもない秘密兵器を隠し持っているからだということだったんです。でも、外部の人間には、それがどこの誰なのかわからなかった——」

そこで、桃里の視線を追って建物を見あげた相方が、「ふうん」と意外そうな表情になる。

「あの、吹けば飛んでしまいそうな坊やがねえ……」

そこで、何を思ったのか、相方が言う。

「そういえば、彼らは、あのクソ忌々しい封筒を処分するようだが、それって、あれをどうする気なのかね？」

桃里が、細めた目を向けて、相方を見つめる。

「なぜ、そんなことが気になるんです？」

「いや。ちょっと調べたんだが、あの封筒に貼ってある切手、『ブラック・ウィドウ』と言って、オークションに出したら三億円くらいの値がつくかもしれないそうだから」

「それが？」

「三億円あったら、人は、遊んで暮らせる」

「なるほど」

肩をすくめた桃里が、「でも」と淡々と告げた。

「あの手のものを処分する最も手っ取り早い方法は、焼却処分です」

「しょうきゃくって、まさか焼いて終わらせる『焼却』じゃないだろうな？」

「その焼却処分ですよ。もっとも、そのためには、あれを守っている何者かを引きはがす必要がありますが……」

「三億円は？」

「当然、灰と化すでしょうね。紙なんだから」

「嘘《うそ》だろう？」

そこで、相方が真剣に考え込む。

「いやいや。それはありえない。いっそ、彼に、そのことを教えてやったほうが親切なんじゃないか。そうすれば、切手の部分だけ切り取るという選択肢もできるだろうし」

だが、彼の希望は、あっさり砕かれる。

「無駄ですよ」

「なんで?」

「あれはもう、魔の一部と化していましたから、切り取ったところで、あとあと禍根《かこん》を残すだけです。それに、彼なら、三億円の価値があるとわかっていても、やることをやるだけでしょう。貴方と違って、欲望とはかけ離れたところにいるような青年でしたから」

「マジで、三億円と知っていて、焼くのか?」

「そうです」

「本当に?」

「躊躇《ちゅうちょ》なく」

「そんなの、人間じゃない」

「だから、最初に言ったんですよ。——幽霊にぶつかったようなものだと」

「——ああ。なるほど」

ようやく腑《ふ》に落ちたらしく、相方が深く頷いていると——。

地方銀行の正面に立つ彼らのほうに、三方から、人が近づいてきた。見た目はそれぞれ違ったが、全員共通して言えるのは、なんとも高慢そうだということだった。

先に気づいた相方が言う。

「——お、来たぞ」

桃里が、振り返って、彼らのほうに端整な顔を向ける。

すると、三人のうち、彼らの背後から近づいてきた男が真っ先に口を開いた。

よく見れば、話しかけてきた男性以外は、全員外国人だ。外国人は年齢の判断が難しいが、二人とも比較的若い。へたをしたら、まだ学生かもしれなかった。

「『ブラック・ウィドウ』を渡してもらおうか」

だが、予測のついていた桃里は、相方と顔を見合わせてからわざとらしく答える。

「なんの話です？」

「とぼけても無駄だ。お前たちが、伊東佑介名義の貸し金庫から、中身を取り出したのはわかっている。そして、それが、我々が所有するべき『ブラック・ウィドウ』であることもね」

だが、やはり、桃里はひょうひょうと答えた。

「本当に、なんのことを言っているのかわかりませんけど、なんなら、身体検査でもなさいますか？」

すると、男たちは、冗談ではなく、彼らの身体を調べ始めた。

数分後、当てが外れた様子で首を振り合って言う。

「ないぞ」

「こっちもだ」

とたん、険しい顔つきになった三人目の男が、問いかけた。

「――どこにやった?」

「だから、なんのことかわからないと言っているでしょう」

桃里の答えに対し、相方が、「ああ、でも」ととぼけた口調で付け足す。

「俺たちと一緒に貸し金庫に来ていた人間がいたから、もしかしたら、あいつらが持っていったのかもしれない」

「それは、誰だ?」

「さあねえ」

あくまでもとぼけた様子で、相方は言う。

「ある意味、通りすがりの人間だよ。名前も連絡先も知らないが、伊東佑介の知り合いということで、一緒に貸し金庫に入ったんだ。――なあ、そうだろう?」

「ええ」

絶妙な掛け合いで頷き合った桃里と相方が、殺伐とした男たちを相手に、おどけた演技を続ける。

「後腐れがあってもいけないので、名前も連絡先も訊かずに別れましたが、彼らは現金引き出し機のほうに歩いていったから、ここで待っていれば、そのうち出てくるんじゃないですかね」

「そういうお前たちは、そいつらを待っていたんじゃないのか？」

問い返され、桃里が「まさか！」と言って、大仰に両腕を開いてみせた。

「そう。俺たちは、このあとどうするか、ここで話していただけだから」

そこで、ふたたび顔を見合わせた桃里と相方は「――と、いうことで」と会話を勝手に終わらせる。

「他に用がなければ、私たちはこれで」

宣言してクルリと踵《きびす》を返し、ブラブラと駅に向かって歩き去った。

4

一方。

階段を使って地下まで降りたユウリとシモンが駐車場の扉を開けると、そのタイミングで、コンクリート張りの無機質な空間に車のエンジン音が響き、タイヤが床を擦《こす》る音が続いた。

それからものの数秒で、彼らの前に一台の四輪駆動車が横づけされる。

運転席にいるのは、もちろんアシュレイだ。

例によって例のごとく、全身黒づくめで、黒いサングラスをかけている。サングラスの奥では、底光りする青灰色の瞳が、四方へ油断なく向けられているはずだ。

この上級生とはちょっと前に会ったばかりで、懐かしさこそないものの、日本で姿を目にすることには、いまだに違和感があった。

窓枠に片腕を預けた格好で、アシュレイが面倒くさそうに言う。

「結局、お貴族サマも一緒か」

「悪いですか?」

「ああ」

車に乗り込むシモンを見ながら、「できれば」と続ける。

「幸徳井の子飼いと一緒に囮になっていてくれたら、ありがたかったんだが」

「囮なんて、彼ら二人で十分でしょう」

「どうかね。なにしろ、金髪碧眼《へきがん》という神々しいお姿は目立つからな。——特に、和の国日本では」

あたかも、自分は溶け込んでいるようなもの言いだ。

後部座席にゆったり座ったシモンが、つまらなそうにそっぽを向く。これほど気分が悪くなる褒《ほ》め言葉を、彼は今まで聞いたことがない。

走り出した車の中、アシュレイが、「で」と訊いた。

「『ブ、ラ、ッ、ク・ウ、ィ、ド、ウ』は、手に入れたんだろうな？」

「はい」

頷いたユウリに対し、後部座席のシモンが訊く。

「それで、いったい、これはなんなんです？　それに、貴方が言う、これを狙っている人間というのは、どこの誰なんですか？」

「相変わらず、質問が多い」

からかうように受けてから、元上級生は説明し始めた。

「そいつは、その中に、現在では失われてしまった、正確な筆写による悪魔召喚の図があるものとして、悪魔崇拝者たちがこぞって手に入れたがっている封書だ」

「封書？」

　繰り返したシモンが、意外そうに訊き返す。

「封筒ではなく？」

「封書だ」

　断言したアシュレイが、「一見」と続ける。

「封筒のように見えるし、実際に封筒でもあるわけだが、裏面全体にメッセージ性のある図形が描かれたものを折りたたんで封をしたという点で、これは、明らかに封書と言える」

「……なるほど」

　呟いたシモンをそのままにして、ハンドルから片手を離したアシュレイが、ユウリのほうにその手を突き出して、「見せてみろ」と催促する。

「――今ですか？」

　ユウリが、思いっきり躊躇《ためら》いを見せたので、アシュレイが「そう、今だよ」と冷たく急《せ》かした。

「早くしろ」

「でも、運転中だし、できれば、あとにしたほうが」

「燃え広がっても困るから」

鬱陶《うっとう》しげに訊き返したアシュレイに、ユウリが極めつきの一言を伝える。

「なんでだ？」

「燃え広がる？」

そこで、ユウリは、無謀な元上級生に、先ほど貸し金庫内で起きたことをかいつまんで話して聞かせた。

「というわけで、へたに扱いを間違えると、この車ごと炎上ということにもなりかねないんです」

「なるほど」

納得したアシュレイが、「炎ねえ」と呟いた。

「他に、何か特徴はないのか？」

「特徴？」

「ああ。何かの影を見たとか、鳴き声を聞いたとか、臭《にお》いがしたとか」

「いえ、特には……」

否定しかけたユウリが、「あ、そういえば」と思いついたように言う。

「蛇が――」

「蛇？」

「そうです。この封筒を最初に手に入れた伊東くんのそばで、蛇のような影を見ました」

後部座席のシモンが、何か思うところがあるように、ユウリを見た。

いったい、ユウリがこの件に疑念を感じたのはいつだったのか、改めて考えているのだろう。なんといっても、ユウリが「蛇」のことを口にしたのは、この時が初めてだからだ。

「なるほど、蛇ねえ」

納得するアシュレイに、シモンが「蛇といえば」と補足する。

「今は消えましたが、炎に包まれたユウリの左腕に浮かびあがった火傷のような痕《あと》も、見ようによっては、蛇が絡みついた痕に見えましたよ」

思い出したユウリが、左腕をさすりながら同意する。

「そう言われると、そうかも」

「つまり、こいつは、炎と蛇に関係するものってことか」

考え込んだアシュレイが、「だが」と続けた。

「やはり、現物を見ないことには判断が難しい」

シモンが、すかさず突っ込む。

「判断が難しいって、アシュレイは、すでに、これの正体に見当がついていたのではないんですか？」

「はっ！」

不満そうに鼻を鳴らし、ルームミラーで後部座席のシモンを睨んだアシュレイが、「お貴族サマは」と嘲《あざけ》るように応じた。

「常に楽をしようという魂胆のようだが、いつでも好きな時に、出来合いの総菜が出てくると思うなよ。世の中、それほど甘くはない。俺は、確かに、これが悪魔崇拝者が手に入れたがっている召喚の図が描かれたものであることまでは知っていたが、その正体は、依然不明だ。——というより、今となっては、誰も知らない」

言うなり、ユウリのほうに片手を伸ばして告げる。

「ということで、やっぱり、見せてみろ。——心配せずとも、どうせ、幸徳井の子飼いが、ひとまず封印したんだろう？」

「そうですけど……」

「だったら、大丈夫だ」

そこで、ユウリは、しぶしぶアシュレイにくだんの封筒を手渡した。

運転しながら受け取ったアシュレイは、片手で透かすように陽《ひ》に翳《かざ》し、古い封筒をつぶさに調べる。

それを見ているユウリは、封筒の扱いもさることながら、完全なよそ見運転となっている状態にもハラハラさせられることになる。

「アシュレイ、前――」

右折のため、急にスピードを緩めた前の車を指して叫べば、アシュレイは、わずかにハンドルを動かして、すれすれのところを追い越していく。際どいといえば際どいが、見方を変えれば、最小限の動きしかしていないため、車はむしろこれ以上ないというくらいスムーズに走り続けた。

いったい、どれだけの運動神経と反射能力と運転技術を持っていれば、可能なことなのか――。

ややあって、検分を終えた手紙を、アシュレイは、ユウリに返さず、後部座席のシモンに向かって放り投げる。

「お前が、持っていろ」

「え、なんでですか？」

シモンのほうを向き直りながら、ユウリが焦って尋ねる。

「どうして、シモンに持たせるんです？」

それで、シモンに何かあったら、どうする気なのか。

もちろん、アシュレイは、「ご愁傷《しゅうしょう》様」で済ます気なのだろうが、そんなことは、絶対にあってはならない。

アシュレイが、つまらなそうに説明する。

「その手の奴らは、こいつのように、キラキラしたプラスのエネルギーの持ち主に弱いんだよ。つまり、こいつの存在自体が、一種の封印になるんだ」

「へえ」

意外そうに納得したシモンが、手の中の封筒を角度を変えたりしながら見おろす。

「もっとも」

アシュレイが意地悪く付け足した。

「それだけに、お前のような人間の魂を取ろうと虎視眈々《こしたんたん》と狙ってもいるから、せいぜい気を抜かないように注意することだ」

とたん、ユウリが、シモンのほうに手を差し出して主張する。

「貸して、シモン。やっぱり僕が持つ」

「なぜだい?」

封筒を持ったまま、シモンが泰然と応じた。

「これが危険なのは、誰が持っていても同じなわけだし、アシュレイの言ったことを信じるなら、僕が持つに越したことはない」

「そういうこった」

アシュレイが、煽《あお》るように続ける。

「むしろ、いちばん危ないのは、ユウリ、お前だからな。お前の純真無垢《じゅんしんむく》な魂は、彼らにとって、それこそ、聖人の魂と同じくらい価値がある」

「――だそうだよ」

シモンが、珍しくアシュレイに同調し、ユウリを軽く手で払う。

「いいから、ユウリ。これは、僕が持つよ」

それに対し、ユウリは、「それなら」と、左手首から「グナ」を探り当てて外すと、それをシモンに突き出して主張した。

「これを、手首にはめておいて」

だが、シモンは、首を振って受け取るのを拒否した。

「いらないよ。それは、いざという時に、君を守るものだからね。へたに僕が預かってしまって、君にもしものことがあったら、それこそ本末転倒だ」

「でも、それなら、やっぱりその封筒は、僕が持つよ」

ユウリは、わずかでもシモンに危害が及ぶ可能性があるのを怖《おそ》れている。

変な話、魂の高潔さはもとより、シモンの完璧《かんぺき》な見た目も、ユウリは愛してやまない。奇跡の造形物としての物理的存在から、そこに宿る魂まで、すべてがこれ以上ないというほど完璧に整っていて美しいシモンを、ユウリは、なんとしても守りたいのだ。それこそ、爪《つめ》の先一つでも、汚されたくはない。

だが、「ユウリ」と静かに名前を呼んだシモンからは、意外な言葉が発せられた。

「ユウリは、そんなに、僕のことが信用できない？」

「まさか、違うよ」

漆黒の瞳を見開いて否定したユウリが、「そうではなく」と懇願する。

「そんなものを持っていて、万が一、シモンが火傷でもしたらと思うと、気が気じゃないんだ」

「そんなの」

シモンが、つまらないことを聞いたかのように苦笑する。

「僕にも同じことが言えるだろう。君が、いつまたケガをするかと思うと、ずっと冷や冷やしていなければならない。——考えてみれば、なんとなく、一連の流れで君が持つことになってしまったけど、ただ持っているだけなら、なにも君でなければならない理由なんてないわけだから」

「それは、そうかもしれないけど——」

それでもやっぱり、ユウリは、シモンを少しでも危険から遠ざけておきたい。

だが、シモンは、この話はこれまでと言わんばかりに、運転席のアシュレイに視線を移して尋ねた。

「それで、アシュレイ。改めて実物を見て、何かわかったことはありましたか？」

それまで、二人のやり取りをおもしろそうに眺めていたアシュレイは、そこで「ああ」

と頷き、不遜《ふそん》な笑みを浮かべて言い放つ。

「ほぼ、すべて」

それには、さすがのシモンも驚きを禁じ得ない。

「ほぼ、すべて……ですか」

「そうだよ。実際、その中に、答えが描いてあったからな」

「そうなんですか？」

片眉をあげて応じたシモンが、改めて手の中の封筒を見おろした。一見するとなんの変哲もない古い封筒だが、いったい、どこに答えが描いてあるというのか。

アシュレイには見えた兆候が、自分に見えないのが悔しくて、シモンは、先ほどアシュレイがやっていたように、窓のほうに封筒を持ち上げ、陽の光に透かして見る。

すると、それまで見えていなかったが、封筒の内側に何か記号のようなものが描いてあるのが、うっすらと透けて見えた。

記号というか、子供の落書きのような図である。

ただ、桃里の施した封印が貼ってあるため、さすがに今は、封筒を開けて中を確認することはできない。

そこで、陽に透ける図をもっとよく見ようと顔を近づけると、ふいに、目の前に炎のヴィジョンが浮かびあがり、その中で、大きな目が一つ、ゆっくりと開きかけた。

徐々に。

徐々に。

大きな目が開く。

(これは——)

驚きと好奇心で、シモンがそのヴィジョンから意識を切り離せずにいると、突然。

「ベルジュ」

アシュレイの声がして、ハッと我に返った。

運転席を見れば、ルームミラー越しにこちらを楽しげに見ているアシュレイがいて、

「いちおう」と告げられる。

「俺は、気を抜くなと警告したはずだが」

その言葉に反応し、ユウリがパッと背後を振り返る。煙《けぶ》るような漆黒の瞳が、不安そうに高雅な友人に向けられた。

それを見て、封筒をおろしたシモンが、珍しく若干《じゃっかん》恥じ入ったように同意する。

「そうですね、すみません。——どうやら、この手のものと向き合うには、僕は、少々修行不足のようです」

「よくわかっているじゃないか」

したり顔で応じたアシュレイが、「ま、せいぜい」とどうでもよさそうに鼓舞《こぶ》する。

「がんばることだな。――少なくとも、『エリュ・コーエン』の後継者たちは、けっこう、しつこいぞ」

「『エリュ・コーエン』?」

あげられた名前に引っかかりを覚えたシモンが、聡明《そうめい》そうな水色の瞳で、改めてルームミラー越しにアシュレイを見つめる。

「『エリュ・コーエン』というのは、ここにある差出人の名前ですね?」

「名前というか、名称だな」

訂正したアシュレイが、教える。

「『エリュ・コーエン』というのは、十八世紀に、当時、最大のイリュミニストとして知られていたスウェーデンボルグの影響を受けたマルチネス・ド・パスカリという男が作った秘教的結社の名前だ」

「イリュミニストか――」

シモンが感慨深げに呟いたのに対し、ユウリが「イリュミニスト?」と疑問を投げかけた。

そんなユウリをチラッと見やり、アシュレイが「簡単に言うと」と本当に簡単に説明する。

「『光の啓示を受けた者』という意味だ。日本語では、『啓明者』などと訳されることが多いだろう。——ただ、詳しく話していると、それこそ半日くらいはかかるから、今は端折《はしょ》るが、おそらく、この事件を機に、この先、お前たち——特にお貴族サマは、どっぷりとはまりこむことになるだろうから、向こうに戻ったら、少し勉強しておくといい」

「どっぷりとはまりこむって……」

ユウリが訝《いぶか》しげに繰り返していると、シモンが後部座席から教えた。

「アシュレイが言っているのは、この封筒を、目の色を変えて追い求めている秘密結社のような存在があるということだよ。さっき、僕たちがいた銀行に来ていたのも、それと関係のある人たちなんだろう」

そこで、彼らは、あの場で囮になってくれた二人の存在を思い出す。

彼らは、問題なく帰ることができたのだろうか——。

ユウリが、その想いを口にする。

「桃里さんたち、どうしたかな……」

ユウリの心情を察したシモンが、「まあ」と安心させるように軽く応じる。

「君なんかよりはしたたかそうだったから、きっとあっさり乗り切っているよ」

ユウリが、「そういえば」と今さらながらに言う。

「あの背の高い人の名前、結局、わからずじまいだったね」

「うん」

どうでもよさそうに応じたシモンが、アシュレイに向き直り、「一つだけ」と質問した。

「『エリュ・コーエン』は、同じく十八世紀にドイツで起こった『イリュミナティ』と関係があるんでしょうか？」

そうだとすると、少々やっかいだという想いが込められた声音《こわね》だ。

アシュレイが、ルームミラー越しに、青灰色の瞳を光らせる。

「世界陰謀説で有名な『イリュミナティ』だな。――名目上あの集団は十年にも満たない活動期間を終え消滅したことになっているが、実体はどうだか定かではない。それこそ、有事の際には隠《かく》れ蓑《みの》としていろいろと便利だから、形骸《けいがい》化していようとも名前だけは残しておきたいと思う人間も多いんだろう」

話しながら、右折のウィンカーを出したアシュレイが、「いちおう」と続ける。

「この問題においては、関係ないとだけ言っておく。――実際は、イリュミナティを俯瞰《ふかん》的に見て、その大きな流れから考えた場合、おそらくまったく関係ないとはいえないはずだが、今、ここで、そこまで踏み込んで考えていると本質を逸《そ》れてしまうので、ひとまず枠外に置いておく」

シモンが、「なるほど」と頷いた。

その表情がいつもより硬いのは、問題にしている対象物が、かなり面倒なものであるかららだろう。

アシュレイが、「『エリュ・コーエン』は」と説明する。

「資料によると、魔術的な儀式を通じて自分を高めることに専念していたようだが、その後、マルチネスの弟子であったルイ＝クロード・ド・サン＝マルタンは『マルティニスト』と呼ばれる神智学《しんち》に依《よ》ったサークルを作り、その思想は、一世紀ののちの通称『パピュス』というオカルティストに受け継がれていく。その『パピュス』と親交があったのが、『薔薇《ばら》十字カバラ団』を創設し、かつ、十九世紀の終わりに、有名な魔術合戦を起こしたスタニスラス・ド・ガイタだ。つまり、その系統には、明らかに魔術的儀式というものが連綿と受け継がれたと考えていい」

「魔術的儀式……」

繰り返したシモンが、「だから」と手元の封筒を見つめる。

「悪魔召喚の記号なんかが描かれているんですね？」

「ああ。そして、さっきのユウリの話を聞く限り、これは、間違いなく、黒魔術で呼び出された悪魔の影響下にある」

「でも」

シモンが、水色の瞳を細め、考え込みながら応じる。

「『ペニー・ブラック』が貼られた手紙であれば、これが投函《とうかん》されたのは、十九世紀半ば以降のことですよ。一世紀近く前に結成された秘教的結社が、その頃まで存続し得たのでしょうか？」

シモンの疑問に対し、アシュレイは、「言っておくが」とあっさり答えた。

「スウェーデンボルグの起こした『新エルサレム教会』は、形を変えながら今も残っているし、二十世紀に入ってからもまだ『エリュ・コーエンたちのサン＝マルタン協会』といった結社が存在した。それを考えると、たかだか半世紀のことであれば、後継者たちによって引き継がれていた可能性は十分あるだろうし、そこから派生した新しい結社であった可能性も否定できない」

「ふうん。意外と息が長かったりするんですね」

「正直、その封筒にある情報だけでは正確なことは言えないが、確かなのは、この手紙が送られてきた十九世紀後半、イギリスに、『エリュ・コーエン』の流れを汲《く》みつつ、魔術的儀式の研鑽《けんさん》を積み、自分たちにとって都合の悪い相手を呪い殺すだけの実力を持った組織があったことと、現在、それらの裏事情を知ったうえで、悪魔が封印されたままになっている貴重な封筒を手に入れ、その力を自分たちのために利用しようとしている一派がいるということだ」

「なるほど」

アシュレイの説明を聞いていたシモンが、「そういえば」と口をはさむ。

「数年前、教会に封印されていた封筒を見つけ出し、火事に巻き込まれて亡くなった留学生の腕には、その封筒にあるのと同じような、間延びした『P』の下部に、蛇のような『S』が絡みついた模様が入れ墨されていたと聞きました」

「へえ」

さすがに、そこまでは調べあげられていなかったらしいアシュレイが、「――ということは」と結論づける。

「ヴィクトリア時代に存在した秘密結社がいまだに残っているか、あるいは、当時の秘密結社に詳しい奴らが新たに起こした組織が、その記号を引き継いだのだろう」

言いながら、アシュレイが、チラッとルームミラーで後続車を確認する。

ちょうど、交差点を曲がり、山手にあがる坂を登り始めたところで、それからほどなくして、彼らは山手本通りから少し入った道に面した建物の前にやってきた。

5

車を降りたシモンが、建物を見あげながら問う。

「ここは？」

蔦《つた》の絡まる煉瓦《れんが》造りの建物は、クイーン・アン様式の瀟洒《しょうしゃ》なものだが、あたりは森閑《しんかん》としていて、人の気配はない。

少なくとも、開店中の店舗や展示ルームではないだろう。

アシュレイが、建物の脇《わき》にある階段をおりながら、応じる。

「登記上は、イギリスの某《ぼう》商社の所有となっているが、実際は、スコットランド系のフリーメーソン・ロッジの日本支部として使われている」

「フリーメーソン・ロッジ？」

「ああ」

なんということもないように言いながら階段をおりたアシュレイは、持っていた鍵で扉を開け、中に入りながら頷いた。

扉の向こうは、小さな体育館と言っていいほどの広さがあり、床は、こういう場所の写真などでよく見かける白と黒の市松模様になっている。円柱が並ぶガランとした室内には、円環を描くように椅子《いす》が並べられ、祭壇となっている最奥部の前には、ひときわ立派な椅子が十二脚、円環を外れて横一列に並ぶ。

いかにもそれらしい場所であるが、おどろおどろしさはいっさいなく、整然としたきれいさのみが存在した。

「ここは、正統な教義を受け継いできたロッジの一つで、それなりに信頼がおける。安全に悪魔を呼び出すには、もってこいの場所というわけだ」

アシュレイに続いて扉をくぐりながら、シモンが意外そうに訊いた。

「ですが、こんなふうにフリーメーソンの建物を借り受けられるということは、貴方もフリーメーソンということになるはずですが……」

あくまでも独立独歩で、人と歩調を合わせたり、何かの教義に従うなど、死んでもやるはずのないアシュレイと規則だらけのフリーメーソンという組み合わせが信じられなかったのだが、思ったとおり、アシュレイは鼻で笑って否定した。

「お察しのとおり、俺はフリーメーソンではない。ただ、知り合いにフリーメーソンは大勢いて、今回は、その中の一人と利害が一致したため、『ブラック・ウィドウ』の処分に協力してやることになった」

初めて入ったフリーメーソン・ロッジの内部を興味深そうに見渡していたシモンが、振り返って確認する。

「──ということは、もともと、誰かの依頼で、貴方はこの件に関わることになったわけですね？」

「ま、そういうことだな。──『ブ、ラ、ッ、ク・ウ、ィ、ド、ウ』は、この業界ではけっこう有名で、ネット・オークションに出品された時は、彼らも色めき立ったようだ。そんな折、たまたま日本に来ていた俺に、調査の依頼が来た」

アシュレイの言い方に、どこか限定的なニュアンスを感じ取ったシモンが、眉をひそめて問い質す。

「先ほども思ったんですが、『ブラック・ウィドウ』という呼び名には、単に『ペニー・ブラック』のエンタイアという以上の意味合いがあるんですか？」

「ああ、そうだ」

あっさり肯定して、アシュレイは壁際のスイッチを押した。

すると、床がスライドして、それまで市松模様だった床の一部に、精巧に描かれた魔法円が現れる。

スライドしていく床を見ながら、アシュレイが説明を始めた。

「『ブラック・ウィドウ』というのは、数年前、こいつが横浜で発見されたという噂が流れるまでは、一部の人間の間で、ほとんど伝説と化していた幻の封書のことを指して使われる呼び名だった」

「それって、言い換えると、悪魔教を奉じる秘密結社の間で、悪魔召喚の正確な図が描かれたものとして、特別視されていたということですね？」

「その通り。むしろ、今では同義語となっている『ペニー・ブラック』については、たまたま封筒に貼られていたに過ぎない」

「それが、どうして、一般にも知られるようになってしまったんでしょう？」

「それは」

言いながら、アシュレイは指先をくるくるとまわして続ける。

「知ってのとおり、数年前、幻の『ブラック・ウィドウ』が発見されたという報告がなされた直後、その教会が火事になったため、『ブラック・ウィドウ』もそれと一緒に灰燼《かいじん》に帰したと考えられたんだが、すぐには諦めきれなかった一部の人間が、日本の切手コレクターに向けて、『ペニー・ブラック』のエンタイアが横浜で見つかるかもしれないと呼びかけ、その時に、『ブラック・ウィドウ』という呼び名を使用したことで、それが、『ペニー・ブラック』のエンタイアを指す言葉として、一般にも定着していったんだ」

シモンが、意外そうに目を見開く。

「ということは、最初に一般に広がったのは、この日本ということですか？」

「そうだな。――おそらく、ヨーロッパだったら、名前が出た時点で、もっと警戒されただろうし」

「なるほど。そして、祖父の切手コレクションを相続したことで、自分自身も切手に詳しくなっていた一般人の伊東佑介が、『ブラック・ウィドウ』が、本来、どんなものであるかも知らず、ただ、『ペニー・ブラック』のエンタイアを見つけたと思い込んで、ネット・オークションに出品してしまった」

「ああ。まったく、迷惑な話だよ」

一通り話し終えたアシュレイは、シモンが手にしていた「ブラック・ウィドウ」を奪い取ると、魔法円のそばに立ってあたりをもの珍しげに見回していたユウリに向かって放り投げた。

「ほら、ユウリ。仕事だ」

「え？　――うわ、うそ」

地面に落ちるすれすれで、なんとか両手で受け止めたユウリに、アシュレイが冷たく告げる。

「そんなふうにぽやんとしているヒマがあったら、とっとと悪魔を呼び出して、元の世界に送り返せ。でないと、お前も、お貴族サマも、いろいろと面倒くさいことになるぞ」

「面倒くさいこと？」

訊き返したユウリを手の一振りで退け、アシュレイが「いいか」と続ける。

「その魔法円は、ちょっとやそっとのことではまず消えないが、だからといって油断はするな。さっきも言ったように、悪魔は、お前のように純真無垢な魂が大好物だ。呼び出したら、間髪を容《い》れずに、お別れしろ」

言いながら、床に置いたロウソクに火をつけ、着々と悪魔召喚の準備をしていく。

ユウリはユウリで、「えっと、……わかりました」と、実はよくわからないまま、封筒を魔法円の中心に据えられた五徳のような三脚の台の上に置いた。

置いた瞬間、「あれ？」と思う。

「でも、呼び出すにしても、いったい誰を呼び出せばいいのか……」

すると、アシュレイが、たった一言。

「――バティンだ」

名前をあげた。

とたん。

パシッと。

ユウリの手の下で、封筒が跳《は》ね上がる。

まるで、陸揚げされた魚が、海へ戻ろうと跳ね上がったかのようである。

少なくとも、それまではただの封筒だったものが、まるで生物のように息づいた瞬間だった。

ユウリが、封筒を見つめながら、ゴクリと唾《つば》を飲みこむ。

「そっか」

なにが、「そっか」なのか。

自分でもわからずに、ただ、かなり身の引き締まる思いでいる。

「バティンね……」

「そうだ。蛇の尾を持ち、火の源のもっとも深い部分にいる地獄の大公だよ。何より、その封筒の内側に描かれた図は、由緒ある魔法書《グリモア》に記されたバティンを表す記号だ」

「蛇の尾――」

ようやくいろいろなことが呑みこめてきたユウリに、アシュレイは、どこに置いてあったのか、柄の長さが一メートルはあろうかという特殊な燭台を手渡し、「ということで」と告げた。

「こっちの準備は整ったが、お前は？」

「えっと」

少し悩んだ末、手渡されたばかりの変わった燭台を見つめて、問いかける。

「これは？」

「そんなの、ちょっと考えればわかると思うが」

憐れむように応じつつ、アシュレイが答える。

「中に入るのが危険なことをする際、魔法円の外から、魔法円の中の台に載せたモノに下から火をつけるための道具だ。要は、ガスコンロの燭台版だな。もちろん、三脚の台と併せて作らせた特注品だ」

「へえ」

「言っておくが、間違っても、自分の手を魔法円の中に入れるなよ？」

「わかりました」

そこで、意識を切り換えたユウリが、魔法円と向き合って深呼吸する。理屈や方法さえわかってしまえば、あとやることといえば、集中することくらいだ。

やがて、心が澄みきったところで、ユウリは、おもむろに四元《しげん》の精霊を呼び起こした。

「火の精霊《サラマンドラ》、水の精霊《ウンディーネ》、風の精霊《シルフィード》、土の精霊《コボルト》。四元の大いなる力をもって、我を守り、願いを聞き入れたまえ」

すると、どこからともなく現れた四つの光が、魔法円の縁に沿ってゆっくりと回り始めた。

ふわふわ。

ふわふわ。

時に漂うように、時に遊ぶように流れていく。

それを見て、煙るような漆黒の瞳に力を籠《こ》めたユウリが、よく通る声で教えられた名前を呼んだ。

「召喚によって呼び覚まされし地獄の大公、蛇の尾を持つバティンよ。汝《なんじ》、ここに来たりて、我の望みを叶《かな》えよ。火の源の奥深くより、出《い》でたまえ！」

すると、魔法円の中心に置いた封筒がパタパタとうごめいたかと思うと、いきなり、さっきよりも高く跳ね上がり、宙でパンッとはじけた。

次の瞬間。

その場に、蛇の尾を持つ屈強な男が現れる。

異形《いぎょう》のものだ。

身体から、シュウシュウと湯気が立ち上り、その瞳は炎のごとく赤く輝いている。

やがて、轟《とどろ》きに似た声が空間に響く。

——我を呼び出したのは、お前か？

「そうです」

——なるほど。一目でわかる上等な魂の持ち主のようだ。取引に依存はない。

床を焦がしながら魔法円の際まで歩いてきて、間近にユウリを覗き込んだ地獄の大公が、舌なめずりをしながら続ける。

――して、お前の望みは？

そこで、ユウリは、凛《りん》と響く声ですかさず請願を述べた。

「地獄より馳《は》せ参《さん》じた者に命ずる。速やかに元いた場所に戻り、あとになんら禍根《かこん》を残さぬよう」

とたん、魔法円の中のバティンが、訝しげな声をあげる。

――なに？

おそらく、おのれのような実力者を呼び出しておきながら、なんの願い事もせずに送り返そうとする欲のなさが信じられなかったのだろう。

――馬鹿《ばか》なことを。望みは、いくらでも叶うというのに、お前は俺をただ送り返す気か？

だが、ユウリは、あらかじめアシュレイから忠告されていたとおり、呼び出してすぐに、別れを告げる。

「地獄の大公よ、今すぐ、ここを立ち去れ！」

告げながら、ロウソクの火が燃える柄の長い燭台を、魔法円の中心に据えられた五徳のような三脚の台の下に近づけ、封筒に火をつけようとした。目的はもちろん、悪魔召喚の図が描かれた封筒を焼却処分するためだ。

だが、まさに今、封筒に火をつけようかという、その時だった。

「やめろおおっ!!」

叫びながら飛びこんできた男が、止める間もなく魔法円の中に飛びこもうとした。すんでのところで、アシュレイに襟首を押さえられ、そのまま部屋の彼方《かなた》へと投げ飛ばされる。

それでも、諦めきれずに立ちあがった男は、アシュレイに押さえ込まれながらも、目を皿のように見開いて、叫び続けた。

「『ペニー・ブラック』だ。『ペニー・ブラック』のエンタイアだぞ。三億円の価値のあるもんだ。なぜ、燃やす必要がある。それは、俺が手に入れるべき幻の十四枚目――！」

現われたのは、五十代半ばくらいの男性だった。いわゆる「蒐集家」として、どこか執念じみた狂気を持つ男である。

しかも、ユウリは、その男性をどこかで見たように思う。

どこであったか。

あとあと考えた時に思い出したのは、ユウリが、ホテルのティー・ラウンジで樹人《みきと》と話していた時、近くのテーブルに座っていた男のことである。

あの時、あの場にいて、ユウリたちを監視していた。

おそらく、その前に、樹人の面通しをし、そのまま跡をつけてきたのだろう。

この男が、一連の事件にどう関わっているのか。

ただ、今はそれどころではなく、ユウリは、慌てて儀式の続きに取りかかろうとした。

だが、その一瞬の気の緩みで、燭台を持つ手が、魔法円の境界線をわずかに越えてしまう。

その手に向かい、蛇の尻尾《しっぽ》がシュッと伸びた。

「ユウリ！」

気づいたシモンが、駆け寄って、その手を掴むのと、円環の内側から伸びた蛇の尻尾の先が触れるのが同時だった。

バシッと。

眩《まばゆ》い火花が散る中、シモンの手が背後からユウリの手を覆い、弾け飛びそうになった燭台を支えて封筒に火をつける。

「シモン⁉」

「いいから、ユウリ、続きを！」

ユウリは、シモンがケガをしたように思って気が削《そ》がれたのだが、強い声で促されたため、すぐに請願の成就を唱える。

「バティンよ。即刻、立ち去れ！　アダ　ギボル　レオラム　アドナイ！」

とたん。

魔法円の内側が劫火の色に染まり、さらに。

パアアアアッと。

四つの光が一つになって魔法円に流れ込み、一瞬、室内が真っ白い輝きに包まれた。

あまりのまばゆさに目を瞑《つぶ》ったユウリの耳に、その時、遥《はる》か彼方からこんな不気味な声が響いてくる。


――その魂、しかと記憶したぞ……。

ハッとして顔をあげるが、その時にはあたりは元の静けさを取り戻していて、悪魔召喚の痕跡《こんせき》を留《とど》めているものといったら、魔法円の中でほとんど炭と化した封筒が、まだほんの少し燻《くすぶ》っていたくらいであった。

終わったのだ。

これで、樹人や彼の友人を煩わせる問題はなくなっただろう。

ひとまずホッとするユウリだったが、シモンに促されて歩き出した顔は、どこか愁いを残すものだった。

6

パリ十六区にある瀟洒なアパートメントの一室。

そこで、眼前に広がる景色を見ながら、男はスマートフォンで苛立《いらだ》たしげに誰かとしゃべっている。

「『ブラック・ウィドウ』は、まだ見つからないのか?」

それに対する相手の返答が気に入らないのか、うるさそうに首を振った男が、怒鳴りつけるように言う。

「言い訳はいい! とっとと見つけろ! 他の奴に先を越されたなんて、あってはならないミスだぞ!」

それだけ言うと、乱暴に通話を終え、スマートフォンをテーブルに投げ出す。

午後の陽を浴びたパリの街は、古色蒼然《こしょくそうぜん》として美しいのに、それを楽しむ余裕が、今の彼にはなかった。

日本からの報告は、彼を失望させるものばかりだ。

あと少しで「ブラック・ウィドウ」が手に入るという時に、横から、誰かにかっさらわれたのだ。

いったい、誰の仕業なのか。

（見つけ出したら、ただではおかない――）

肘掛《ひじか》けに肘をつき、苛立たしそうに爪を噛《か》む。

その指には、下部を長く伸ばした「P」に蛇のように絡む「S」を組み合わせた記号が刻印された指輪がはまっていた。しかも、記号の下には、ローマ数字で『Ⅵ』という数字が刻み込まれている。

と、その時。

スマートフォンがメールの着信音を響かせたので、彼は手を伸ばして取り上げる。慣れた手つきで機器を操作し、メールを読み始めたところで、彼の手が止まった。

その顔が、徐々に驚愕《きょうがく》に彩られていく。

受信したメールには、「ブラック・ウィドウ」とタイトルがつけられ、開くと、燃え尽きた封筒の画像とともに、「THE　END」の文字が流れていった。

「――まさか」

その意味するところを考え、男の表情が、驚愕から憤怒《ふんぬ》の相に変わっていく。

「いったい、誰がこんな愚かな――？」

呟いた時だ。

手の中のスマートフォンが鳴り出したので、彼は無意識に電話に出る。

「もしもし《アロウ》」

フランス語で受けた彼に対し、流暢《りゅうちょう》なフランス語で、挨拶もなくいきなり言われる。

『メールは見たな?』

とたん、椅子の上でガバッと身を起こした男が、かぶりつくように言った。

「――お前、誰だ?」

『十三番目の椅子を蹴《け》った男だ』

「……十三番目?」

訝《いぶか》しげに繰り返した男が、ようやく何かに気づいたように、「まさか――」と呆然《ぼうぜん》とした声をあげる。

「コリン・アシュレイか――?」

それから、おもちゃを取りあげられた子どものように悲しげな声で言った。

「もしかして、お前がやったのか? あれを? あの貴重な――」

すると、電話の向こうで小さく笑ったアシュレイが、『これで』と宣告する。

『お前も終わりだな』

言うなり、電話は切られた。

男は、通信の途絶えたスマートフォンを握りしめたまま、ただなす術《すべ》もなく茫然《ぼうぜん》とその場に座り込んでいた。

終章

ヒースロー空港の滑走路が見えてきた。

長いようで短かった夏休みも、これで終わる。

樹人《みきと》からのメールによれば、彼の大学の友人である伊東佑介《いとうゆうすけ》は、すっかり回復し、九月からふつうに大学に通えるということだった。

ただ、よほど懲りたのか、「ブラック・ウィドウ」が燃やされてしまったと聞いてもさして落胆するでもなく、むしろホッとしたように礼を言ってくれたそうだ。

その姿は、まさに憑《つ》き物《もの》でも落ちたような感じであったという。

また、ユウリたちが「ブラック・ウィドウ」を処分している時に飛びこんできた男は、その後、警察の捜査で名前があがり、伊東佑介への殺人未遂罪で逮捕されたという。

その業界では有名な切手コレクターであったそうだが、以前、日本で行われたオークションで「ペニー・ブラック」のエンタイアを手に入れ損なって以来、それに取り憑かれたようになってしまい、今回の凶行に及んだらしい。

つまり、彼は、「ブラック・ウィドウ」のなんたるかは知らない、ふつうの切手コレクターであったということだ。

それに対し、本来の意味で「ブラック・ウィドウ」を追っていたと思われる人々は、その後、さっぱり姿を見せなくなった。

桃里《とうり》たちの話では、確かに、あの時、銀行の外で接触してきたが、その後は特に姿を現すこともなく、それっきりになっているという。

状況から考えて、彼らは「ブラック・ウィドウ」が燃やされたことを知らないはずであったが、目標を見失って諦《あきら》めてしまったのか。

だとしたら、たいして面倒くさい組織ではなかったということになる。

なんにせよ、これで、すべては一件落着ということに相成った。

そこで、日本を発《た》つ前、ユウリは、いちおう隆聖《りゅうせい》に対し、横浜で桃里家の人間に世話になったことを伝えたが、それに対する反応はえらく薄く、「わかった」の一言が返っただけだった。

幸徳井《かでい》家と桃里家の関係が複雑なのか。

それとも、隆聖と桃里馨《かおる》個人の関係が、ややこしいことになっているのか。

ユウリにはわからなかったが、どうやら、会えばニッコリ笑って協力し合うような間柄ではなさそうだった。

世の中、人の数だけ、思惑があるということだ。

ファーストクラスのゆったりとした座席で、近づいてくる地上の景色を眺めながらユウリがもの思いに耽《ふけ》っていると、シモンが隣の席から身を乗り出して話しかけてきた。

「ユウリ。唐突かもしれないけど、聞いてほしいことがある」

「なに？」

「実は、この一年、君をなかば拘束《こうそく》するようなことばかりしてきて、申し訳なかったなと反省しているんだ」

突然の告白に、ユウリは驚いて高雅な友人の完璧《かんぺき》に整った顔を見つめる。

「――え、どうしたの、シモン、そんなこと」

「いや。君が行方不明になるという事件以来、また同じことが起きるんじゃないかと思うと不安でしかたなく、必要以上にまとわりついてしまったけど、樹人と君の関係を見ていて、少し考えさせられてしまってね。これからしばらくは、アンリが君のそばにいてくれるし、僕はフランスでおとなしくしていようと思っているんだ」

「そうなんだ？」

「それで、九月以降、会う機会は少なくなると思うけど、心はいつでもそばにあるし、必要とあれば、またたく間に飛んでいくので、その時は、遠慮なく声をかけてほしい」

真摯《しんし》な言葉の羅列に、座席の中で居住まいを正したユウリが、「そっか」とかなり残念そうな表情で微笑《ほほえ》んだ。

「シモンがどう感じていたかはわからないけど、僕は、シモンがそばにいてくれるのをいつも嬉《うれ》しく思っていたし、誰がなんと言おうと、シモンと過ごす時間は何よりも宝物だった。だから、シモンの予定に合わせるのだってまったく苦ではなかったし。——ただ、シモンが、将来に向けていろいろとやらなければならないことがあるのはわかっているから、この先、一緒にいる時間が少なくなるのは、しかたないと思う」

「言うほどでもないけどね」

肩をすくめた貴公子を目に焼き付けておこうとするようにまぶしげに見つめ、ユウリが続ける。

「それを聞いてちょっと安心したし、とにかく、忘れないでほしいのは、僕は、本当にシモンが大好きだってこと。だから、どんなにまとわりつかれても、それを光栄に思いこそすれ、鬱陶《うっとう》しいなんて思うことは、今までも、これからも、絶対にない。——本当だよ？」

すると、極上の笑みで微笑んだシモンが、「そんなことを聞くと」と告げる。

「決意もとろけて、やっぱり、毎週末ロンドンに飛ぼうかと思ってしまうよ」

「僕は、全然構わないよ。——それに、言わせてもらえば、今までだって、毎週ではなかったし」

ユウリが珍しく些細《ささい》な点を訂正すると、澄んだ水色の瞳《ひとみ》で穏やかにユウリを見つめたシモンが、心の底から感謝を述べる。

「ありがとう、ユウリ」

「僕のほうこそ」

「これからしばらく、アンリが世話になるけど、よろしく」

「うん」

その時、機体が下降する感覚が伝わり、シートベルト着用のサインが点灯した。

そこで、互いに身体《からだ》を離した彼らは、それぞれ、新しい一歩を踏み出すために、今、この瞬間の想《おも》いを大事にしようと、胸に刻み込んだ。

あとがき

秋も深まってまいりました。——いや、この本が刊行される頃は、もう初冬か。まわりは、クリスマスカラー一色となり、それとともに、年賀状の準備も始めなければ……。う～ん、なんて一年の過ぎるのが早いんでしょう。それでも、新たに二つのことができるようになりつつあるので、それなりに進歩できた私ですが、みなさまはいかがお過ごしでしょうか。

こんにちは、篠原美季《しのはらみき》です。

予告通り、日本からのスタートでしたが、最初の思惑とは違い、ずっと日本に居続けました。しかも、「篠原樹人《しのはらみきと》」やら「桃里馨《とうりかおる》」やら、結構出ていたのに名前を紹介してもらえなかった登場人物とか、さらには、懐かしき「時韻堂《じいんどう》」まで出て来てしまい、篠原ワールド全開という回になりました。

ご存知ない方のために、一応簡単に説明しておくと、「桃里馨」の初出は、『ホミサイド・コレクション　虚空に響く鎮魂歌《レクイエム》』で、東亜《とうあ》テレビプロデューサー、西崎圭介《にしざきけいすけ》が親しくしている霊能者という位置づけで登場していました。その際、彼の詳細《バックボーン》はほとんど語られていませんでしたが、その頃から、幸徳井《かでい》の分家というのは決めていて、いつか、西崎圭介を含めた彼らの話を書きたく、そのための布石《ふせき》として、今回、脇役にしては少々意味深長な登場の仕方にしてみました。

ちなみに、相方の名前は決まっているのですが、今回は、敢《あ》えて書いていません。

そんな彼の初出は、なんと、前回の『欧州妖異譚10　非時宮《ときじくのみや》の番人』に初版限定で挟みこまれていたショートストーリーなんです。もちろん、おまけの話なので、それを読んでいなくても、ふつうに楽しめる作りになっているので、ご安心を——。ただ、ショートストーリーを読まれた方は、ほんの少しだけ別の楽しみ方ができたものと期待しております。

かように、今後も、ショートストーリーといえども手を抜かず、読めば読むほど、さまざまな楽しみ方ができるように工夫していきたいです♪

「時韻堂」については一言だけ、「ヨコハマ居留地五十八番地」シリーズで、主人公の深《ふ》川《かわ》芭介《ばすけ》が営んでいる骨董屋《こっとうや》の名前です。たぶん、今後、明治時代が絡むような話の時には、ちょこちょこ名前が出てくるのではないかと思います。

それから、「篠原樹人」についてですが、彼は、これが初出で、おそらく最初で最後の登場になるのではないかと……。

というのも、名前からもわかる通り、彼は、作者である私の分身です。

以前から、ユウリが日本にいた頃の幼馴染《おさななじ》みというのを書いてみたくて、色々と頭の中にはあったのですが、今回、ふと、ユウリの「ソウルメイト」という位置づけを考えた時に、「あ、私、なりたい！」と思ってしまい、その願望を成就させた次第です。

とはいえ、なんとも不思議なのですが、ここしばらくシモンの立ち位置というのに少々疑問を感じていて、ここは心機一転、本編再開でなんとかしようと思っていた矢先、「篠原樹人」――いわゆる作者自身を通じて、シモンが悟《さと》りを得てしまったのです。

しかも、この悟り、終章を書く瞬間まで、私の中にはなかったものでした。

それで、終章を書きながら、「そうか～」としみじみ納得してしまったのですが、よくよく考えてみたら、物語の中で、シモンが廃人寸前となるほどの喪失感を覚えたユウリの失踪《しっそう》から、まだ一年しかたっていなかったんですよね。それを思えば、シモンが、必要以上にユウリをそばに置きたがったのも、十分に理解できます。

ただ、やはり、二人の関係性を考えると、いつまでもくよくよしてはいられず、その悟りを得るのに、「篠原樹人」の存在が不可欠だったんだなあ、と。

言い換えると、作者自身がケアをしに出かけなければならないほど、シモンの痛手は大きかったのでしょう。う～ん。ごめん、シモン。これからは、元気に頑張《がんば》ってね。――というより、雰囲気《ふんいき》的に、頑張らないといけなくなりそう（笑）。

まあ、そんなこんなで、今後、どうなるか、私にもさっぱりわかりません。

「篠原樹人」については、最初で最後と言いつつも、私がパリにでも行きたくなるか、今後、またフランスやイギリスあたりを旅行できた暁《あかつき》には、その希望や体験をもとに、ヨーロッパ旅行に出かけてトラブルに巻き込まれ、ユウリとシモンの助けが必要となるような番外編でも書こうかな……なんてことは思っています♪

あ、でも、アシュレイが「篠原樹人」の存在に対し、一言も触れていないのが、かなり不気味。さすがの彼も、作者にはたてつく気にならなかったか。あるいは、触れるに値しないと見くびられたか。――まあ、後者ですね、たぶん。

最後になりましたが、「ペニー・ブラック」について、参考にさせていただいた図書をあげて御礼の代わりとさせていただきます。ありがとうございました。

『郵便と切手の社会史　ペニー・ブラック物語』　星名定雄著　法政大学出版局

ということで、今回も素敵なイラストを描いてくださったかわいい千草《ちぐさ》先生、また、この本を手に取ってくださった方々に多大なる感謝を捧《ささ》げます。

では、次回作でお目にかかれることを祈って――。

忙《せわ》しない秋の午後に

篠原美季　拝

『黒の女王～ブラック・ウィドウ～　欧州妖異譚11』、いかがでしたか？
篠原美季《しのはらみき》先生、イラストのかわい千草《ちぐさ》先生への、みなさまのお便りをお待ちしております。
篠原美季先生のファンレターのあて先
〒112-8001　東京都文京区音羽2-12-21　講談社　文芸第三出版部「篠原美季先生」係
かわい千草先生のファンレターのあて先
〒112-8001　東京都文京区音羽2-12-21　講談社　文芸第三出版部「かわい千草先生」係

N.D.C.913　248p　15cm

篠原美季（しのはら・みき）　講談社X文庫

4月9日生まれ、B型。横浜市在住。
「健全な精神は健全な肉体に宿る」と信じ、
せっせとスポーツジムに通っている。
また、翻訳家の柴田元幸《しばたもとゆき》氏に心酔中。

white heart

黒《くろ》の女王《じょおう》〜ブラック・ウィドウ〜　欧州妖異譚《おうしゅうよういたん》11

篠原美季《しのはらみき》

●

2015年12月3日　第1刷発行

定価はカバーに表示してあります。

発行者――鈴木　哲
発行所――株式会社　講談社
東京都文京区音羽2-12-21 〒112-8001
電話 編集 03-5395-3507
販売 03-5395-5817
業務 03-5395-3615
本文印刷－豊国印刷株式会社
製本――株式会社国宝社
カバー印刷－千代田オフセット株式会社
本文データ制作－講談社デジタル製作部
デザイン－山口　馨

ISBN978-4-06-286889-1

ホワイトハート最新刊

黒の女王 ～ブラック・ウィドウ～
欧州妖異譚11
篠原美季 絵／かわい千草

「ブラック・ウィドウ」が導く闇の力とは。夏休みを日本で過ごすユウリとシモン。開港の地・ヨコハマでユウリは、幼馴染みの幹人と再会する。彼は、得体のしれない物を預かるように知人に迫られることになるのだが。

薔薇十字叢書 ようかい菓子舗京極堂
葵居ゆゆ 絵／双葉はづき Founder／京極夏彦

京極夏彦「百鬼夜行」シェアード・ワールド小説！ ある日、京極堂を訪れた和菓子職人の卵の粟池太郎。軒先で「妖怪和菓子」を販売したいと言い出して!? 京極堂が日常に潜む優しさを暴く連作ミステリ。

愛煉の檻
約束の恋刀
犬飼のの 絵／小山田あみ

あんたとずっと愛しあいたい！ 奥吉原で処女太夫として名高い太刀風忍は、初恋の貴族軍人ミハイルを守るために、悲痛な決断をして……。妖刀が恋人たちの枷を断ち切る、燦爛たる遊郭綺譚！

夜《や》陰《いん》の花
華族探偵と書生助手
野々宮ちさ 絵／THORES柴本

芸術と憂鬱の貴公子・小須賀、三たび活躍!! 暗雲広がる昭和初期。書生として働きながら三高に通う庄野は、高校の軍事演習で拷問されたような傷を負った人物を見つけ、密かに匿うことになるのだが!?

ホワイトハート来月の予定（12月24日頃発売）

君が見る未来に僕らは 恋した人はアイドルでした ……宇多坂 葉
逆転後宮物語 愛の告白とどけます……………………芝原歌織
砂漠の王と約束の指輪 ………………………火崎 勇

※予定の作家、書名は変更になる場合があります。